Python para Principiantes

2 Libros en 1

<u>Programación de Python para principiantes</u>

<u>Libro de trabajo de Python</u>

Programming Languages Academy

INDICE

Programación de Python para principiantes

La guía definitiva para principiantes para aprender los fundamentos de la Python en un gran curso intensivo lleno de nociones, consejos y trucos.

Programming Languages Academy

Introducción

La programación ha recorrido un largo camino. El mundo de la programación puede haber comenzado hace bastante tiempo; hace sólo un par de décadas que ganó la atención de los expertos en informática de todo el mundo. Este repentino cambio vio a algunas grandes mentes que contribuyeron a toda la era de la programación mucho más que la mayoría. Vimos al gran proyecto GNU tomar forma durante esta era. Nos encontramos con el bastante brillante Linux. También nacieron nuevos lenguajes de programación, y la gente ciertamente los disfrutó al máximo.

Aunque la mayoría de estos lenguajes de programación funcionaban, había algo que faltaba. Seguramente se podría hacer algo para que la codificación fuera menos tediosa. Eso es exactamente lo que un nuevo y revolucionario lenguaje, llamado así por el Circo Volador de Monty Python, hizo por el mundo. Inmediatamente, la codificación se hizo mucho más fácil para los programadores. El uso de este lenguaje comenzó a ganar impulso, y hoy en día, está destinado a superar al único lenguaje que se presenta ante él para reclamar el prestigioso lugar de ser el lenguaje más favorecido del mundo.

Este lenguaje fue idea de Guido Van Rossum. Creado en el año 1991, Python se ha convertido en un sinónimo de programación eficiente y fácil de usar. Este lenguaje es lo que conectaba los puntos y daba a los programadores la tan necesaria facilidad de codificación que desde entonces anhelan. Naturalmente, el lenguaje fue bien recibido por la comunidad de programadores. Hoy en día, es uno de los lenguajes más importantes tanto para los profesionales como para los estudiantes que pretenden sobresalir en campos como el aprendizaje automático, la automatización, la inteligencia artificial y mucho más.

Con ejemplos de la vida real que muestran una amplia variedad de usos, Python vive y respira ahora en casi todas las principales plataformas sociales, aplicaciones web y sitios web. Todo esto suena interesante y emocionante al mismo tiempo, pero ¿qué pasa si no tienes conocimientos previos de programación? ¿Qué pasa si no entiendes los conceptos básicos y deseas aprender Python?

Me complace informar que este libro le proporcionará todas las posibilidades de aprender Python y le permitirá iniciar su viaje al mundo de la programación. Este libro está idealmente destinado a personas que no tienen ningún conocimiento de programación y/o que nunca antes han codificado una sola línea de programa.

Te guiaré a través de todos los pasos básicos desde la instalación hasta la aplicación. Examinaremos varios aspectos del lenguaje y esperamos proporcionarle ejemplos de la vida real para explicarle mejor la importancia de tales aspectos. La idea de este libro es prepararte mientras aprendes los conceptos básicos de Python. Después de este libro, no deberías tener problemas para elegir tu camino. Los fundamentos siempre serán los mismos, y este libro asegura que cada uno de esos elementos básicos sean cubiertos de la manera más productiva posible. Intentaré mantener el proceso de aprendizaje tan divertido como pueda sin desviarme del aprendizaje en sí.

¡Cosas que necesitas!

"Espera. ¿No dijiste que no necesito saber nada sobre programación?" ¡Bueno, sí! No tienes que preocuparte por la programación o sus conceptos en este momento, y cuando llegue el momento, haré todo lo posible para explicarlos. Lo que se necesita de ti es algo un poco más obvio.

Computadora: Como dije, ¡es obvio! Necesitas una máquina propia para descargar y practicar el material y la materia que aprendes de aquí. Para sacar el máximo provecho del libro, practica mientras lees. Esto aumenta enormemente tu confianza y te permite mantener un ritmo constante. Las especificaciones no importan mucho. La mayoría de las máquinas modernas (a partir de 2012) deberían ser capaces de hacer funcionar cada uno de los componentes sin plantear ningún problema.

Una conexión a Internet: Se le pedirá que descargue algunos archivos de Internet.

Un entorno de desarrollo integrado (IDE): Si, por alguna razón, se sintió intimidado por esta terminología, ¡relájate! Te guiaré a través de todos y cada uno de los pasos para asegurarte de que tienes todo esto y que sabes de qué se trata. Por ahora, imagínate esto como un editor de texto.

Una mente fresca: No tiene sentido aprender si tu mente no está ahí contigo. Sé fresco, ponte cómodo. Esto puede tomar un poco de práctica y un poco de tiempo, pero todo valdrá la pena.

Eso es literalmente todo lo que necesitas. Antes de continuar con nuestro primer capítulo del libro y empezar a aprender lo esencial, hay una cosa más que me gustaría aclarar de inmediato.

Este libro sólo cubre lo básico

Si has cogido una copia de este libro o estás pensando en hacerlo, con la impresión de que el libro te enseñará lo básico sobre Python, ¡buena elección! Sin embargo, si eres de la idea de que al final del libro resultará ser un profesional completamente entrenado con una comprensión de cosas como el aprendizaje de la máquina y otros campos avanzados de Python, por favor entiende que esto quedaría fuera del alcance de este libro.

Este libro es para servir de guía, una especie de curso intensivo. Para aprender métodos y habilidades más avanzadas, primero tendrá que establecer el dominio de todos los elementos y componentes básicos del lenguaje. Una vez hecho esto, es muy recomendable buscar libros que sean de aprendizaje avanzado.

Lo que puedo recomendarte es que sigas practicando tus códigos después de haber completado el libro. A diferencia de la conducción y la natación, que recordarás el resto de tu vida, incluso si dejas de hacerlas, Python sigue actualizándose. Es esencial que te mantengas en la práctica y continúes codificando pequeños programas como una simple calculadora, predictores numéricos, etc. Hay bastantes ejercicios que puedes encontrar en línea.

Para cursos avanzados, consulte Udemy.com. Es una de las mejores fuentes para acceder a algunos cursos excepcionales y aprender nuevas dimensiones de programación, entre muchos otros campos.

¡Uf! Ahora que esto está fuera del camino, te daré un minuto para flexionar sus músculos, ajustar su asiento, tomar un vaso de agua; estamos listos para comenzar nuestro viaje al mundo de Python.

Capítulo 1. Python - Las primeras impresiones

Así que has oído hablar de un idioma por el que todo el mundo se está volviendo loco. Dicen que es el lenguaje del futuro y lo increíble que es. Te sientas con tus amigos, y todo lo que tienen para hablar es esencialmente un galimatías para ti, y sin embargo parece interesante para el resto de ellos. Tal vez planeas dirigir un negocio, y una pequeña investigación sobre las cosas revela que un lenguaje específico es bastante demandado en estos días. Por supuesto, puedes contratar a alguien que haga el trabajo por ti, pero ¿cómo sabes si el trabajo se está haciendo de la manera que quieres que sea, de primera calidad y original en la naturaleza?

Ya sea que quieras seguir una carrera fuera de este viaje, estás a punto de embarcarte o crear tu propio negocio para servir a cientos de miles de clientes que buscan a alguien como tú; necesitas aprender Python.

En lo que se refiere a Python, hay tantos videos y tutoriales que puedes encontrar en línea. El problema es que cada uno parece ir en una dirección diferente. No hay manera de decir qué estructura debes seguir, o dónde debes empezar y dónde debes terminar. Hay una buena posibilidad de que te encuentres con un vídeo que aparentemente responde a tu llamada, sólo para descubrir que el narrador no está explicando mucho y más o menos todo lo que ves, tienes que adivinar lo que hace.

Yo mismo he visto bastantes tutoriales como ese. Pueden ser molestos y algunos incluso engañosos. Hay programadores que te dirán que ya es demasiado tarde para aprender Python y que no conseguirás el tipo de éxito que buscas por ti mismo. Permíteme dejar de lado esos rumores y malos mensajes.

Edad - Es sólo un número. Lo que realmente importa es el deseo que tienes de aprender. No necesitas tener X años para aprender esto de manera efectiva. Del mismo modo, no hay un límite superior de Y años para el proceso de aprendizaje. Puedes tener 60 años y aun así ser capaz de aprender el lenguaje y ejecutar comandos brillantes. Todo lo que se requiere es una mente lista para aprender y un buen conocimiento de cómo operar una computadora, abrir y cerrar programas, y descargar cosas de Internet. ¡Eso es todo!

Idioma - Ya sea que seas un hablante nativo de inglés o uno no nativo, el idioma está abierto para todos. Mientras puedas formar oraciones básicas y darles sentido, deberías ser capaz de entender fácilmente el lenguaje de Python. Sigue algo llamado el concepto de "código limpio", que efectivamente promueve la legibilidad de los códigos. Lo investigaremos más adelante, lo prometo.

Python ya tiene dos décadas de antigüedad - Si te preocupa que llegues dos décadas tarde, déjame recordarte que Python es un lenguaje progresivo por naturaleza. Eso significa que cada año, encontramos nuevas adiciones al lenguaje de Python, y algunos componentes obsoletos son removidos también. Por lo tanto, el concepto de "llegar demasiado tarde" ya es nulo. Puedes aprender hoy, y ya estarás familiarizado con cada comando al final del año. Lo que sea que haya existido hasta ahora, ya lo sabrás. Lo que seguiría entonces, lo recogerás eventualmente. No hay tal cosa como ser demasiado tarde para aprender Python.

Dificultad para entender - ¿Recuerdas lo difícil que fue para nosotros aprender los números, el alfabeto, las oraciones y la gramática? Todo necesita práctica, y también Python. Sin embargo, si piensas que Python es ciencia de cohetes, te vas a llevar una gran sorpresa. A los niños se les enseña Python en las escuelas, y no bromeo para que se sientan cómodos. Dos libros bastante famosos han existido para apoyar mi afirmación. Busca *Python para niños: Una introducción juguetona a la programación* por Jason R. Briggs, y *Enseñe a sus hijos a codificar: Una guía para padres sobre la programación de Python* por Bryson Payne. ¿Ves lo que quiero decir? Si los niños, que tienen una exposición limitada a las cosas y una mente en desarrollo, pueden aprender el llamado lenguaje complicado, ¿por qué tú no?

Por supuesto, hay gente que ha tenido éxito, y luego están los que no lo han tenido. Todo se reduce a la eficacia y la creatividad con la que se utiliza el lenguaje para ejecutar los problemas y las soluciones. Cuanto más original sea tu programa, mejor te irá.

"Prometo que daré lo mejor de mí para aprender el lenguaje de Python y dominar lo básico. También prometo practicar la escritura de códigos y programas después de que termine este libro."

¡Bravo! Acabas de dar el primer paso. Ahora, estamos listos para retroceder un poco el reloj y ver exactamente de donde vino Python. Si repasaste la introducción, te di un resumen de cómo surgió Python, pero omití algunas partes. Veamos por qué Python era la necesidad del momento.

Python: La necesidad del momento

Antes de la creación de Python, y el famoso lenguaje en que se ha convertido, las cosas eran muy diferentes. Imagina un mundo donde los programadores se reunían de todo el mundo en un enorme laboratorio de computación. Tienes a algunas de las mejores mentes del planeta, trabajando juntas hacia un objetivo común, sea cual sea. Naturalmente, incluso los mejores intelectuales pueden terminar cometiendo errores.

Supongamos que uno de esos programadores terminó creando un programa, y no está muy seguro de lo que salió mal. La sala está llena de otros programadores, y por supuesto, acercarse a alguien para pedirle ayuda sería el primer pensamiento del día. El programador se acerca a otra persona ocupada que con gusto decide ayudar a un compañero programador intelectual. En ese breve paseo de una estación a otra, el programador intercambia rápidamente la información, lo que parece ser un error común. Sólo cuando el programador ve el código es cuando se le toma desprevenido. Este compañero no tiene ni idea de lo que hace el código. Las variables están etiquetadas con lo que sólo puede ser definido como cifrado. Las palabras no tienen ningún sentido, ni hay ninguna manera de averiguar dónde está el error.

El compilador continúa lanzando un error tras otro. Recuerda, esto fue mucho antes de 1991 cuando la gente no tenía Ideas, lo que les ayudaría a ver dónde está el error y lo que hay que hacer. Todo el ejercicio terminaría perdiendo horas y horas sólo para darse cuenta de que faltaba un punto y coma. ¡Vergonzoso y absolutamente una pérdida de tiempo!

Esto fue sólo un pequeño ejemplo, imagínese todo el asunto, pero a escala global. La comunidad de programadores luchó por encontrar formas de escribir códigos que pudieran ser entendidos fácilmente por otros. Algunos lenguajes soportaban algunas sintaxis, mientras que otros no. Estos lenguajes tampoco trabajaban necesariamente en armonía entre sí. El mundo de la programación era un desastre. Si Python no hubiera llegado en el momento oportuno, las cosas habrían sido mucho más difíciles de manejar.

Guido Van Rossum, un programador holandés, decidió trabajar en un proyecto de mascotas. ¡Sí, lo has leído bien! El Sr. Van Rossum quería mantenerse ocupado durante las vacaciones y, por lo tanto, decidió escribir un nuevo intérprete para un idioma en el que había estado pensando últimamente. Decidió llamar a la lengua Python, y contrariamente a la creencia popular, no tiene nada que ver con el reptil en sí. Rastreando su raíz de su predecesor, el ABC, Python llegó a existir justo cuando se necesitaba.

Para nuestros amigos no programadores, ABC es el nombre de un viejo lenguaje de programación. Por gracioso que suene, las convenciones de nombres no eran exactamente las más fuertes aquí.

Python fue rápidamente aceptado por la comunidad de programadores, aunque existe el hecho de que los programadores eran mucho menos numerosos en ese entonces. Su revolucionaria facilidad de uso, su naturaleza receptiva y su adaptabilidad captaron inmediatamente la atención de todos los que estaban a su alrededor. Cuanta más gente dedicó su tiempo a este nuevo lenguaje, más comenzó el Sr. Van Rossum a invertir sus recursos y conocimientos para mejorar aún más la experiencia. En poco tiempo, Python estaba compitiendo con las principales lenguas del mundo. Pronto sobrevivió a bastantes de ellos debido al concepto central que se puso sobre la mesa: la facilidad de lectura. A diferencia de cualquier otro lenguaje de programación de esa época, Python entregaba códigos que eran fenomenalmente fáciles de leer y entender de inmediato.

¿Recuerdas a nuestro amigo, el programador, que pidió ayuda? Si lo hiciera ahora, el otro tipo entendería inmediatamente lo que estaba pasando.

Python también adquirió fama por ser un lenguaje que tenía un enfoque orientado a los objetos. Esto abrió una mayor facilidad de uso del lenguaje para los programadores que requerían una forma efectiva de manipular objetos. Piensa en un juego simple. Cualquier cosa que veas dentro de él es un objeto que se comporta de cierta manera. Darle a ese objeto ese "sentido" es programación orientada a objetos (OOP). Python fue capaz de lograr eso con bastante facilidad. Python es considerado como un lenguaje multiparadigma, con OOP siendo parte de eso también.

Avanzamos rápidamente hacia el mundo en que vivimos, y Python sigue dominando algunas de las tecnologías de vanguardia que existen. Con aplicaciones en el mundo real y un Goliat de una contribución a aspectos como el aprendizaje de la máquina, las ciencias de los datos y el análisis, Python está liderando la carga con toda su fuerza.

Toda una comunidad de programadores ha dedicado su carrera a mantener Python y desarrollarlo a medida que pasa el tiempo. En cuanto al fundador, el Sr. Van Rossum aceptó inicialmente el título de Dictador Benévolo por la Vida (BDFL) y se retiró el 12 de julio de 2018. Este título le fue otorgado al Sr. Van Rossum por la comunidad Python.

Hoy en día, Python 3 es la versión principal de la lengua junto con Python 2, que tiene sus días contados. No es necesario aprender ambos para tener éxito. Empezaremos con la última versión de Python ya que casi todo lo que estaba involucrado en la versión anterior fue llevado a cabo, con la excepción de los componentes que eran aburridos o inútiles.

Lo sé, ahora mismo estás bastante ansioso por sumergirte en los conceptos y terminar con la historia. Es vital para nosotros aprender algunas cosas sobre el lenguaje y por qué llegó a existir en primer lugar. Esta información podría ser útil en algún momento, especialmente si se miran varios códigos y se identifica cuál de ellos fue escrito en Python y cuál no.

Para cualquiera que haya usado lenguajes como C, C++, C#, JavaScript, puede que encuentre bastantes similitudes dentro de Python, y algunas mejoras importantes también. A diferencia de la mayoría de estos lenguajes, en los que hay que usar un punto y coma para que el compilador sepa que la línea ha terminado, Python no necesita nada de eso. Sólo presiona entre y el programa inmediatamente entiende que la línea ha terminado.

Antes de que nos adelantemos, ¿recuerdas que algunos escépticos te hacen creer que es demasiado tarde para aprender Python? Es gracias a Python que los autos auto conductores están naciendo. ¿El mundo ya ha visto demasiado de ellos? ¿Cuándo fue la última vez que viste uno de estos vehículos en la carretera? Esta es sólo una de los miles de posibilidades que nos esperan para conquistar. Todo lo que se necesita es que aprendamos el idioma, repasemos nuestras habilidades y empecemos.

"Un viaje de mil millas comienza con el primer paso. Después de eso, ya estás un paso más cerca de tu destino."

Bien, añadí esa última frase por mí mismo, pero es sólo para darte toda la confianza que necesitas para aprender este idioma. La mayoría de las cosas que visitaremos dentro de Python tendrían sentido de inmediato ya que Python principal utiliza frases en inglés y permite una mayor facilidad de lectura. Sin embargo, no hay razón para apresurarse en las cosas. Tómate tu tiempo y practica todo lo que puedas usando el libro de ejercicios, sólo después de que hayas aprendido algo a través de este libro. Aunque siempre puede leer el libro de principio a fin, es aconsejable practicar estos códigos a medida que los aprende.

Consejos de última hora

Has llegado hasta aquí y has aprendido todo lo que hay que saber, o al menos todos los bits de historia importantes. Ha llegado el momento de comenzar nuestro viaje y empezar a escribir algunas líneas que, al principio, podrían no tener sentido, pero que pronto comenzarán a tenerlo, y sin duda disfrutarán del viaje. Para sacar el máximo provecho del viaje, aquí hay algunas cosas que necesitas asegurar:

Aunque se anima a practicar mientras se lee, es muy poco probable que tenga que teclear exactamente el mismo código cada vez. Por lo tanto, es importante empezar a jugar con el código un poco una vez que le hayas cogido el tranquillo a las cosas. Esto también aumenta su confianza y le permite crear sus propios programas únicos. Si me ves usando una variable llamada nombre y le he asignado un valor de 'Sam', siéntete libre de cambiarlo por tu propio nombre. Cambia los números donde y cuando sea posible para ver cómo cambia los resultados.

Es muy importante que se mantengan al día con la última versión de Python. Estaremos investigando un poco sobre cómo encontrar la última versión de Python, y una vez que lo hagamos, sigue revisando la página web oficial de Python para ver si ha llegado una nueva versión.

No se atasquen con problemas, ya que se encontrarán con muchos de ellos. Pondré deliberadamente algunos obstáculos para poner a prueba sus conocimientos también, y los resolveré. Aprender a superar los errores y entenderlos es una forma significativa de aprender cosas. Si encuentra un error distinto a los que se tratan en este libro, siéntase libre de buscar ayuda de la siempre activa comunidad de Python.

Practica unas horas al día, si realmente quieres ser un programador y seguir una carrera en Python. Lleva un tiempo significativo dominar todos los códigos, las funciones, las bibliotecas y mucho más.

No te saltes capítulos, es una mala idea a menos que sepas realmente cómo hacerlo.

No te compares con los demás. Todos nacen con una mente única, y tú también. Si uno está aprendiendo más rápido que tú, déjalo. Aprende a un ritmo que puedas seguir.

Aprende de una fuente a la vez. Aprender de varias fuentes al mismo tiempo te llevaría a un estado de confusión.

Si no entiendes algo, intenta volver a los fundamentos o a los capítulos anteriores. Puede que se haya perdido algo allí.

Dicho esto, ha llegado el momento de comenzar nuestro viaje. ¡Damas y caballeros, enciendan sus motores! ¡Estamos a punto de embarcarnos en el viaje de nuestra vida!

Capítulo 2. Comenzando el viaje digital

¡Bueno, bueno, bueno! Han llegado hasta aquí, y estoy muy emocionado de darles la bienvenida al comienzo de su viaje al mundo de Python. Hay muchas razones para que estén tan emocionados como yo, porque aprender un nuevo idioma siempre está lleno de momentos intrigantes, desafíos y rompecabezas que nos hacen pensar, los cuales aprendemos y luego resolvemos.

A diferencia de la mayoría de los idiomas, Python es demasiado fácil de entender, gracias a nuestro amigo el Sr. Van Rossum. No desperdiciemos sus esfuerzos y vayamos directamente a los negocios.

Asumo que ya tienes tu laptop/computadora lista para comenzar el proceso e instalar Python. Con el propósito de demostrarlo, usaré un sistema operativo Windows 10. Esto debería funcionar igual de bien con los usuarios de Windows 7 y Windows 8. Para los usuarios de Mac o Linux, aquí está la primera noticia. Ya tienen Python instalado en sus sistemas por defecto.

"Espera, ¿qué?" Si esa es tu reacción, probablemente te preguntes por qué nunca te has encontrado con un icono que tenga la palabra mágica "Python" escrita debajo.

Sólo para usuarios de Mac y Linux

Adelante, abre tu aplicación de terminal/consola del cajón de aplicaciones. Parece una ventana negra con un signo >. Para los usuarios de Windows, aunque recibirás un error, pero como la curiosidad ya está aumentando, pulsa la tecla de inicio y escribe 'cmd' para que aparezca el símbolo del sistema.

Una vez dentro, simplemente teclea "Python". A los usuarios de Mac y Linux se les presentará inmediatamente el número de versión. Normalmente, encontrarán Python 2 instalado. En mi caso, como ya tengo una versión reciente, este es el resultado que obtengo:

Python 3.8.0 (tags/v3.8.0:fa919fd, Oct 14 2019, 19:21:23) [MSC v.1916 32 bit (Intel)] en win32

Escriba "ayuda", "copyright", "créditos" o "licencia" para más información.

Instalar Python

Lo primero que hay que hacer es descargar la última versión de Python. La versión disponible en el momento de escribir este libro es Python 3.8.0, así que la usaremos. Para cualquier versión futura, hay una buena posibilidad de que todos los comandos y características funcionen exactamente igual, a menos que la comunidad decida cambiar radicalmente la forma en que funciona el lenguaje.

Comencemos abriendo nuestro navegador web y yendo directamente a la fuente. En la barra de direcciones, escriba www.python.org y será recibido por un sitio web simplista como se muestra aquí:

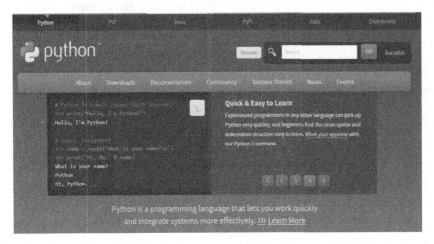

Pase el cursor del ratón por encima de 'Descargas' y el sitio web debería ser capaz de detectar automáticamente su plataforma y presentar la versión correspondiente en consecuencia. Haga clic en el botón para comenzar la descarga.

Si no es así, simplemente haz clic en el nombre de la plataforma que estás usando para ser llevado a la página de descargas. Aquí, haz clic en la primera opción que dice "Última versión de Python 3 - Python 3.8.0" y descárgala.

Una vez descargado el archivo, simplemente ejecútelo para instalar Python en su sistema. Esto no debería llevar más de un minuto más o menos. Ahora ejecuta el símbolo del sistema/terminal una vez más y escribe 'Python' para ver la versión de Python instalada en tu máquina. Esto, por lo tanto, confirma que la instalación ha ido bien.

Para los usuarios de Linux, dependiendo del tipo de sabor que estén usando, necesitarán ejecutar ciertos comandos. Aquí hay un proceso paso a paso de cómo puedes conseguir Python 3.8.0 en tu sistema.

Paso 1: Introduzca los siguientes comandos en su terminal.

sudo apt-get install build-essential checkinstall

sudo apt-get install libreadline-gplv2-dev libncursesw5-dev libssl-dev libsqlite3-dev tk-dev libgdbm-dev libc6-dev libbz2-dev libffi-dev zlib1g-dev

Esto instala esencialmente las bibliotecas necesarias para asegurar una instalación exitosa de Python 3.8. Si se le pide que elijas Sí o No, elige Sí y procede.

Paso 2: Una vez clasificado, ahora tendrás que introducir los siguientes comandos:

sudo wget https://www.python.org/ftp/python/3.8.0/Python-3.8.0.tgz

Esto descargará el archivo necesario que necesita directamente a su directorio de trabajo actual. Una vez descargado el archivo, deberá extraerlo, y para ello, introduzca el siguiente comando:

sudo tax xzf Python-3.8.0.tgz

Paso 3: Ahora, ejecutaremos algunos códigos para instalar Python usando "altinstall", que es una forma más segura de hacer las cosas. Primero, entra en la carpeta Python-3.8.0 introduciendo el siguiente comando:

cd Python-3.8.0

A continuación, tendrás que ejecutar estos dos comandos. Ten en cuenta que esto llevará un tiempo considerable, así que tómate un descanso si quieres.

sudo . /configurar -habilitar-optimización

sudo hacer altinstall

Paso 4: El largo, arduo y extenso proceso de instalación ha terminado finalmente. Es hora de comprobar la versión de Python para verificar que tenemos la correcta instalada.

Python3.8

¡Y voila! Tienes la última versión de Python instalada en tu máquina. Ahora, podemos reanudar los preparativos.

Todos los usuarios de computadoras, sin importar su sistema operativo, están ahora en línea y tienen Python en funcionamiento. El problema es que nadie puede encontrar una aplicación para eso. Hay una razón para ello. Aún no hemos instalado el "Editor de texto" del que hablamos antes.

Para poder ejecutar Python y poder usarlo para escribir programas, necesitamos un entorno de desarrollo integrado (IDE). Para Python, usaremos uno de los mejores, si no el mejor en el negocio. Se llama PyCharm, y es todo lo que necesitas para empezar.

Para descargar PyCharm, navega a https://www.jetbrains.com/pycharm/ y haga clic en descargar. En la siguiente pantalla, haga clic en la edición comunitaria, ya que es gratuita y no la estamos usando exactamente para una operación a gran escala, al menos no todavía. La descarga debería comenzar automáticamente. Una vez hecho, abra el archivo para iniciar el proceso de instalación.

¡Importante!

Para los usuarios de Windows, al comienzo de la instalación, se encontrará con una pantalla que le ofrece múltiples opciones como se muestra a continuación. Asegúrate de comprobar el "Añadir Lanzamiento de Dir al PATH". Si no compruebas esto, puedes encontrarte con problemas más adelante.

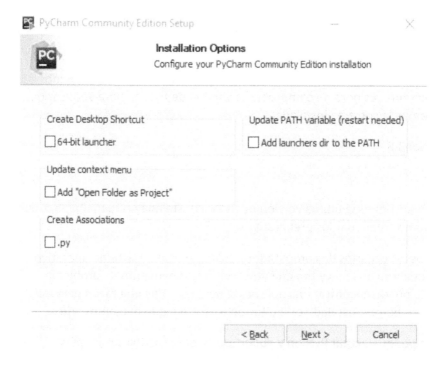

Continúe con la instalación para completar el proceso. Puede que se le pida que reinicie su sistema después de que la instalación haya terminado. Si se le pide, es mejor hacerlo. Una vez que la instalación se haya completado, es hora de abrir PyCharm por primera vez.

Adelante, haz clic en el icono recién añadido de PyCharm en tu escritorio para acceder al programa. El programa puede tener un inicio retrasado ya que es la primera vez que se ejecuta. Una vez iniciado, se te presentarán algunos ajustes rápidos. Puedes modificar la apariencia, el tacto y ver otros componentes mientras estás en ello. No te desvíes de las opciones de las que no tienes ni idea. Es mejor evitar hacer algo que pueda terminar causando problemas más adelante.

Si se encuentra con alguna opción sobre el Intérprete de Python, ¡déjalo estar!

Por último, tienes una ventana que te pedirá que empieces un nuevo proyecto. Comienza eligiendo el directorio/carpeta donde quieres guardar este proyecto y dale un nombre. Tradicionalmente, nos ceñimos a los nombres del primer programa que creamos, que para nosotros los programadores es el programa "Hola Mundo". Pero, prometí que este libro sería divertido, ¿no? Adelante, usa cualquier nombre que quieras y procede.

Familiarizarse con el IDE

En este momento, la nueva sensación de PyCharm sólo aumenta tu curiosidad. Sabes que estás a sólo unas pocas pulsaciones de empezar tu viaje para convertirte en un programador. Pero antes de hacerlo, es vital que nos dirijamos al elefante en la habitación o al menos a esto, en este caso, las opciones y unos pocos botones descoloridos.

Si esperabas algo futurista, preferiblemente con un gran número de botones e iconos, ¡lo siento!

No vamos a repasar cada una de ellas ya que eso llevaría bastante tiempo, y francamente, ni siquiera necesitaríais conocer todas estas funciones en este momento. Una vez que seas un programador de Python bien versado, quizás quieras consultar un manual o un libro que te proporcione todas las referencias y recursos necesarios para aprender la interfaz completa de PyCharm, sus usos y funciones. Lo mejor es atenerse al concepto de "Esto es sólo un editor de texto donde escribimos códigos, y hace algo por nosotros".

No sé por qué tema de color optaste, pero prefiero que el mío se vea oscuro. De esa manera, el código aparece y me facilita la lectura. El tuyo puede ser blanco, y eso también está bien. El punto aquí es que te pongas cómodo con el IDE. Cuanto antes ocurra, más rápido aprenderás.

Para que nos conozcamos, sólo necesitamos aprender algunas funciones y botones. El resto puede acumular polvo digital ya que raramente los usaremos. Centrémonos en algunas cosas.

El panel izquierdo, o la barra lateral, es donde están tus proyectos. Justo debajo de la palabra "proyecto", deberías poder ver el nombre que le diste al proyecto como una carpeta. Debajo de eso están las bibliotecas externas que puedes estar usando. Por ahora, no te preocupes por lo que son; las cubriremos en detalle cerca del final. En la parte superior, deberías ver las opciones regulares, seguidas de algunas nuevas. Si deseas cambiar el tema, añadir componentes, comprobar otros ajustes, haz clic en el archivo y encontrarás todo lo que buscas en Ajustes. Aparte de esto, el único otro menú que nos interesa es "Ejecutar". Aquí es donde se ejecuta el programa que escribimos. Hay atajos de teclado, e incluso sería prudente recordarlos, a partir de ahora.

"¡Grandioso! Entonces, ¿dónde escribo el código? No veo ningún espacio."

Haz clic con el botón derecho del ratón en la carpeta de proyectos con el nombre que elegiste antes. Pase el ratón por encima de "Nuevo" y elige "Archivo Python" y dale un nombre al primer programa de tu vida. Llamemos a este Test1.py por el bien del aprendizaje.

. py es una extensión que muestra que el archivo está escrito en Python y debe ser ejecutado por Python, al igual que .docx, .tar, etc.

En el momento en que pulses enter, tendrás inmediatamente ese gran trozo de la pantalla en el centro vacía. Aquí es donde escribirás todos los códigos de los programas que pasarán a la historia. Y, para tu sorpresa, hay uno en proceso de creación en este momento. ¿Cómo? Adelante, escriban el siguiente código:

```
print("Lo logré!")
```

Hmm! Presionaste enter, y no pasó nada. Bueno, eso no es divertido, ¿verdad? ¿Recuerdas el menú 'Run'? Adelante, haz clic en él y elige, bueno, 'Ejecutar' para iniciar el programa. Otra ventana aparecerá desde la parte inferior y mostrará esto:

"C:\N-Usuarios/Programador/AppData/Local/Programs/Python/Python37-32\python.exe" "C:\Usuarios/Programador/PycharmProjects/PFB/Test1.py"

¡Lo logré!

Proceso terminado con el código de salida 0

Dos cosas acaban de suceder aquí. Primero, puede que no te hayas dado cuenta de esto, pero acabas de hacer tu primer programa. ¡Felicidades! Acabas de ordenar a tu computadora que imprima un mensaje de tu elección.

Segundo, esta pequeña caja que apareció desde abajo se llama consola, y acabas de descubrir la última pieza del puzle. La consola es donde se imprime la información, el programa y el resultado.

Ahora, has visto todo lo que necesitas saber para empezar. No necesitas vagar por ninguna otra opción. Incluso el menú "Ejecutar" ya no se usará, al menos no todo el tiempo de todos modos. Ahora deberías poder ver el botón verde de reproducción en la esquina superior derecha, junto al pequeño cuadro de diálogo que tiene el nombre de tu programa. La próxima vez, simplemente haz clic en eso y deberías poder ejecutar un programa.

¿Ansioso por escribir un poco más? Adelante, escribe las siguientes líneas y diviértete ejecutándolas.

```
print("Lo logré!")

print("======")

print ("Si supiera que sería así de fácil")

print("======")

print("Habría tomado Python hace años")

print("======")
```

Salida:

¡Lo logré!

======

Si supiera que sería así de fácil

======

Habría tomado a Python hace años

======

¿Dos programas ya? ¡Buen ritmo! Parece que estamos listos para sumergirnos en el mundo de Python y empezar a aprender qué hacen exactamente cosas como el comando "print", por qué usamos comillas, y toda esa bondad.

Has instalado Python, has tomado tu copia de PyCharm también. Acabas de crear dos simples programas que son capaces de imprimir información en la consola de acuerdo con lo que escribes. Ahora estamos completamente operativos, listos y abiertos para el negocio.

Recuerda, no puedes esperar convertirte en una sensación de programación nocturna. La programación de cualquier tipo toma tiempo para dominarla y desarrollarla. No puedes esperar aprender nada nuevo y convertirte en un maestro en un corto período de tiempo. Exprime un poco de tiempo de tu rutina diaria. Tal vez dejar de jugar demasiados juegos, o pasar tiempo desplazándose inútilmente hacia arriba y hacia abajo en los sitios de redes sociales, o incluso salir con amigos todos los días. Si pones tu corazón y tu alma aquí durante el próximo año, me agradecerás por mucho tiempo.

Dicho esto, demos nuestro primer paso en ese viaje de mil millas. Tacha eso, ya has dado unos cuantos pasos. Continuemos con el impulso y esperemos añadir una habilidad a nuestro nombre que nos sirva para los tiempos venideros. Aprendamos Python.

Capítulo 3. Aprender Python desde cero

Incluso antes de comprar este libro, tenías una idea de lo importante y demandado que es Python. También leímos un poco sobre él antes y vimos cómo está superando a muchos de los principales lenguajes de programación. Recorrimos una guía paso a paso para descargar Python 3, el entorno de desarrollo integrado, o el editor de texto/código, y lo configuramos todo. Por último, creaste tu primer programa: ¡bien hecho!

Ahora, es hora de dejar de rascar la superficie y sumergirse en el mundo de Python. Hay demasiados componentes y aspectos para aprender sobre Python, pero sólo nos centraremos en lo que es esencial para que cualquiera lo conozca y aprenda como principiante.

Considere esto como una gramática para cualquier otro idioma. Sin gramática, el lenguaje suena roto, y también lo hace Python.

Python a primera vista

Comencemos con el programa que acabamos de crear en el último capítulo. Para recordarnos lo que era, aquí hay una rápida mirada a los comandos que escribimos:

```
print("Lo logré!")

print("======")

print ("Si supiera que sería así de fácil")

print("======")

print("Habría tomado Python hace años")

print("======")
```

Usamos un comando de impresión para que nuestro mensaje se imprimiera en la caja de la consola como salida del programa. Llamar "print" a un comando es técnicamente erróneo; es una función. Mientras que más adelante cubriremos las funciones y métodos en detalle, por ahora, sólo recuerda que las funciones son nombres de comandos que van seguidos de un paréntesis "()" donde los paréntesis estarán vacíos o contendrán algún tipo de datos. Hay parámetros establecidos que están predefinidos, lo que significa que ciertas funciones sólo podrán aceptar un tipo específico de datos.

En el ejemplo anterior, no usamos nada más que texto. Unas pocas letras para crear un mensaje y eso es todo. En Python, las cosas funcionan de manera diferente. El texto no se identifica como texto. Tenemos que decirle a Python que queremos que esto se imprima como texto. ¿Cómo lo hacemos? Usamos comillas simples o dobles que permiten a Python entender que cualquier cosa dentro de las comillas es texto y necesita imprimirlo como es.

Apuesto a que la mayoría de ustedes no se han dado cuenta de que todas las líneas comienzan con una "p" minúscula en lugar de lo contrario. ¡Ah, sí! Ahora que lo notaron, déjenme decirles por qué lo hicimos.

El Python es un lenguaje que distingue entre mayúsculas y minúsculas. Considera todo como un personaje, no como una carta o un texto. Esto significa que la "p" minúscula no será el mismo carácter que la "P" mayúscula y así sucesivamente.

Print

PRINT

print

PrinT

pRINt

Todos estos serán tratados de manera diferente por Python, y para propósitos de impresión estos no funcionarán en absoluto excepto por "print" ya que es la manera estándar de producir las cosas.

Para nombrar cualquier cosa en Python, normalmente usamos minúsculas para los comandos de una palabra. Esto no es algo exclusivo de Python, ya que todos los idiomas utilizan alguna forma como estándar para escribir códigos. Lo que hace diferente a Python es la gran cantidad de pensamiento que se puso en la convención de nombres para hacer el código más fácil de leer. Recuerda esto, cualquier cosa con más que una palabra, puedes usar algunas formas de hacerlo como se muestra aquí:

Last_name

LastName

lastname

LASTNAME

En la mayoría de los casos, usaremos la primera donde cada letra comienza con una minúscula. Para los componentes con más de una palabra, usaremos guión bajo para separarlos. El siguiente en la línea se utiliza generalmente sólo en casos de clases. En este momento, no tiene que preocuparse por lo que son las clases. Sólo recuerda que las palabras con la primera letra como mayúscula y que no tienen guión bajo es un ejemplo de Camel Case, y se utiliza para las clases.

El siguiente es la forma en que nombramos los paquetes. Aquí, todas las palabras comienzan y terminan con letras minúsculas y no tienen guión bajo entre ellas. En el polo opuesto, tenemos nuestra última entrada que se utiliza para definir las constantes. Aquí, todas las letras están en mayúsculas y no tienen guiones bajos que separen las palabras.

Aburrido, ¿verdad? ¡Ya lo sé! Pero es algo que querrás recordar ya que haremos muchas de estas cosas. Deberías saber cuándo usar qué convención ya que esto mejora mucho la legibilidad del código. El objetivo de Python es promover la legibilidad del código, y si vamos en contra de eso, no tiene mucho sentido aprender Python.

Ahora que hemos cubierto esto, comencemos por discutir los tipos de datos que están en funcionamiento dentro de Python. Sin ellos, ningún lenguaje de programación operaría o funcionaría. Son los que usamos como entradas y estos son los que dirigen el programa según nuestro deseo.

¿Qué son los tipos de datos?

Cada programa tiene ciertos datos que le permiten funcionar y operar de la manera que queremos. Los datos pueden ser un texto, un número, o cualquier otra cosa intermedia. Ya sea de naturaleza compleja o tan simple como se quiera, estos tipos de datos son los engranajes de una máquina que permiten que el resto del mecanismo se conecte y funcione.

Python es un host de unos pocos tipos de datos y, a diferencia de sus competidores, no se ocupa de una amplia gama de cosas. Eso es bueno porque tenemos menos de qué preocuparnos y aun así logramos resultados precisos a pesar del lapso. Python fue creado para hacer nuestras vidas, como programadores, mucho más fáciles.

Cadenas

En Python, y otros lenguajes de programación, cualquier valor de texto que podamos usar, como nombres, lugares, frases, todos se denominan cadenas. Una cadena es una colección de caracteres, no palabras o letras, que se marca con el uso de comillas simples o dobles.

Para mostrar una cadena, use el comando de impresión, abra un paréntesis, ponga una comilla y escriba cualquier cosa. Una vez hecho, generalmente terminamos las comillas y cerramos el paréntesis.

Ya que estamos usando PyCharm, el IntelliSense detecta lo que estamos a punto de hacer y nos entrega el resto inmediatamente. Puede que hayas notado cómo saltó al rescate cuando sólo tecleas el soporte de apertura. Automáticamente te proporcionará el de cierre. Del mismo modo, para las comillas, una o dos, le proporcionará las de cierre. ¿Ves por qué estamos usando PyCharm? Nos ayuda mucho.

"Tengo una pregunta. ¿Por qué usamos comillas simples o dobles si ambas dan el mismo resultado?"

¡Ah! Vaya ojo. Hay una razón por la que usamos esto, déjame explicarte usando el ejemplo de abajo:

```
print('I'm afraid I won't be able to make it')

print("He said "Why do you care?"")
```

Intenta pasar esto por PyCharm. Recuerda, para ejecutarlo, simplemente haz clic en el botón verde en la parte superior derecha de la interfaz.

"C:/Usuarios/Programador/PycharmProjects/PFB/Test1.py"

Archivo "C:/Usuarios/Programador/PycharmProjects/PFB/Test1.py", línea 1

    print('I'm afraid I won't be able to make it')

       ^

SyntaxError: sintaxis inválida

Proceso terminado con el código de salida 1

Una pista: ¡es un error!

Entonces, ¿qué pasó aquí? Intenta revisar las entradas. ¿Ves cómo empezamos la primera declaración impresa con una sola cita? Inmediatamente, terminamos la cita con otra comilla. El programa sólo aceptó la letra "I" como cadena. Habrá notado cómo el color puede haber cambiado para cada uno de los otros caracteres desde la "m" hasta la "won", después de lo cual el programa detecta otra comilla y acepta el resto como otra cadena. Bastante confuso, para ser honesto.

Del mismo modo, en la segunda declaración, ocurrió lo mismo. El programa vio las comillas dobles y lo entendió como una cadena, hasta el momento en que llega la segunda instancia de comillas dobles. Ahí es donde no se molestó en comprobar si se trata de una frase o si todavía puede estar en marcha. Los ordenadores no entienden el inglés; entienden las comunicaciones binarias. El compilador es lo que se ejecuta cuando presionamos el botón de ejecución. Compila nuestro código e interpreta el mismo en una serie de unos y ceros para que el ordenador pueda entender lo que le pedimos que haga.

Por eso, en el momento en que detecta la primera comilla, la considera como el comienzo de una cadena, y la termina inmediatamente cuando detecta una segunda comilla, aunque la frase siga adelante.

Para superar este obstáculo, utilizamos una mezcla de comillas simples y dobles cuando sabemos que necesitamos utilizar una de ellas dentro de la frase. Intenta reemplazar las comillas de apertura y cierre del primer estado por comillas dobles en ambos extremos. Del mismo modo, cambia las

31

comillas de la segunda declaración por comillas simples como se muestra aquí:

imprimir ("I'm afraid I won't be able to make it")

print('He said "Why do you care?"')

Ahora la salida debería verse así:

I'm afraid I won't be able to make it.

He said "Why do you care?"

Por último, para las cadenas, la convención de nombres no se aplica al texto de la propia cadena. Puede usar los métodos de escritura y convenciones inglesas habituales sin preocupaciones, siempre que esté entre comillas. Cualquier cosa fuera de ella no será una cadena en primer lugar, y funcionará o no funcionará si cambias los casos.

¿Sabías que las cadenas también usan comillas triples? Nunca antes habías oído eso, ¿verdad? ¡Cubriremos eso en breve!

Tipo de datos numéricos

Tal como sugiere el número, Python es capaz de reconocer los números bastante bien. Los números están divididos en dos pares:

Entero - Un número entero positivo y/o negativo que se representa sin puntos decimales.

Decimal - Un número real que tiene una representación de punto decimal.

Esto significa que, si se usan 100 y 100,00, uno se identificará como un número entero mientras que el otro se considerará como un decimal. Entonces, ¿por qué necesitamos usar dos representaciones numéricas distintas?

Si estás diseñando un programa, supongamos un pequeño juego, que tiene la vida de un personaje de 10, puede que desees mantener el programa de manera que cada vez que dicho personaje reciba un golpe, su vida se reduzca en uno o dos puntos. Sin embargo, para hacer las cosas un poco más precisas, puede que necesites usar números decimales. Ahora, cada golpe puede variar y puede quitarle 1,5, 2,1 o 1,8 puntos al total de vida.

El uso de decimales nos permite usar una mayor precisión, especialmente cuando los cálculos están en las cartas. Si no te preocupa demasiado la precisión, o si tu programación sólo incluye números enteros, cíñete a los enteros.

Booleans

¡Ah! El que tiene un nombre gracioso. Boolean (o bool) es un tipo de datos que sólo puede operar y devolver dos valores: Verdadero o falso. Los booleans son una parte vital para cualquier programa, excepto para aquellos en los que nunca las necesitas, como nuestro primer programa. Es lo que permite a los programas tomar varios caminos si el resultado es verdadero o falso.

Aquí hay un pequeño ejemplo. Supón que estás viajando a un país en el que nunca ha estado. Hay dos opciones que es más probable que enfrentes.

Si hace frío, estarás empacando tu ropa de invierno. Si hace calor, empacarás ropa apropiada para el clima cálido. Simple, ¿verdad? Así es exactamente como funcionan los Booleans. También veremos el aspecto de la codificación. Por ahora, recuerden que cuando se trata de verdadero y falso, se trata de un valor de bool.

Lista

Mientras que esto es un poco más avanzado para alguien en esta etapa de aprendizaje, la lista es un tipo de datos que hace exactamente lo que suena. Enumera objetos, valores o almacena datos entre corchetes ([]). He aquí cómo se vería una lista:

mes = ['Ene', 'Feb', 'Marzo', 'Y así sucesivamente!']

Lo estudiaremos por separado donde discutiremos las listas, tuplas y diccionarios.

Hemos examinado brevemente estos tipos de datos. Seguramente, se usan dentro de Python, pero ¿cómo? Si crees que puedes teclear los números y verdadero y falso, todo por sí mismo, nunca funcionará.

Variables

Tienes a los pasajeros, pero no tiene un modo de viajar; no tendrán a dónde ir. Estos pasajeros sólo serían gente que está de pie, esperando algún tipo de transporte para recogerlos. De manera similar, los tipos de datos no pueden funcionar solos. Necesitan ser "almacenados" en estos vehículos que pueden llevarlos a sus lugares. Estos vehículos especiales, o como nosotros los programadores nos referimos a los contenedores, se llaman 'variables', y son exactamente lo que hacen la magia para nosotros.

Las variables son contenedores especializados que almacenan un valor específico en ellos y a los que se puede acceder, llamar, modificar o incluso eliminar cuando sea necesario. Cada variable que se pueda crear contendrá un tipo específico de datos en ellos. No puedes añadir más de un tipo de datos dentro de una variable.

En otros lenguajes de programación, encontrarás que para crear una variable, necesitas usar la palabra clave "var" seguida de una marca igual "=" y luego el valor. En Python, es mucho más fácil, como se muestra a continuación:

nombre = "John"

edad = 33

peso = 131.50

está_casado = True

En lo anterior, hemos creado una variable llamada "nombre" y le hemos dado un valor de caracteres. Si recuerdas las cadenas, hemos usado comillas dobles para que el programa sepa que se trata de una cadena.

Luego creamos una variable llamada edad. Aquí, simplemente escribimos 33, que es un número entero ya que no hay cifras decimales después de eso. No es necesario usar comillas aquí en absoluto.

A continuación, creamos una variable "peso" y le asignamos un valor decimal.

Finalmente, creamos una variable llamada 'está_casado' y le asignamos un valor 'True' de bool. Si cambias la 'T' por la 't' el sistema no la reconocerá como un bool y terminará dando un error.

Enfócate en cómo usamos la convención de nombres para la última variable. Nos aseguraremos de que nuestras variables sigan la misma convención de nombres.

Incluso puedes crear variables en blanco en caso de que sientas que puedes necesitarlas en un momento posterior, o desee iniciarlas sin ningún valor en el inicio de la aplicación. En el caso de las variables con valores numéricos, puedes crear una variable con un nombre de tu elección y asignarle un valor de cero. Alternativamente, también puede crear una cadena vacía utilizando sólo comillas de apertura y cierre.

```
empty_variable1 = 0

empty_variable2 = ""
```

No tienes que nombrarlos necesariamente así, puedes inventar nombres más significativos, para que tú y cualquier otro programador que pueda leer tu código lo entienda. Les he dado estos nombres para asegurarme de que cualquiera pueda entender inmediatamente su propósito.

Ahora hemos aprendido a crear variables, aprendamos a llamarlas. ¿Qué sentido tiene tener estas variables si nunca vamos a usarlas, verdad?

Vamos a crear un nuevo conjunto de variables. Echa un vistazo aquí:

```
nombre = "Jonah"

edad = 47

altura_en_cm = 170

ocupación = "Programador"
```

Te animo a que uses tus propios valores y juegues con las variables si quieres.

Para poder llamar a la variable de nombre, simplemente tenemos que escribir el nombre de la variable. Para imprimirlo en la consola, haremos esto:

Print(nombre)

Salida

Jonah

Lo mismo ocurre con la edad, la altura variable y la ocupación. Pero, ¿y si quisiéramos imprimirlas juntas y no por separado?

Intente ejecutar el código de abajo y vea qué pasa:

print(nombre edad altura_en_cm ocupación)

¿Sorprendido? ¿Terminaste con esto?

print(nombre edad altura_en_cm ocupación)

    ^

SintaxisError: sintaxis inválida

Proceso terminado con el código de salida 1

Aquí está la razón por la que eso sucedió. Cuando se usaba una sola variable, el programa sabía qué variable era. En el momento en que agregabas una segunda, una tercera y una cuarta variable, trataba de buscar algo que estuviera escrito de esa manera. Como no había ninguna, regresó con un error que dice lo contrario:

"Umm... ¿Está seguro, señor? Traté de buscar en todas partes, pero no pude encontrar este elemento de 'nombre edad altura_en_cm ocupación' en ninguna parte."

Todo lo que necesitas hacer es añadir una coma para que actúe como separador:

print(nombre, edad, altura_en_cm, ocupación)

Salida:

Jonah 47 170 Programador

"¡Sus variables, señor!"

Y ahora, sabía de lo que estábamos hablando. El sistema recordó estas variables y fue capaz de mostrarnos con éxito cuáles eran sus valores. ¿Pero qué pasa si intentas sumar dos cadenas? ¿Qué pasa si desea fusionar dos cadenas separadas y crear una tercera cadena como resultado?

nombre = "John"

apellido = "Wick"

Para unir estas dos cadenas en una, podemos usar el signo '+'. La cadena resultante se llamará ahora Objeto de Cadena, y como estamos tratando con Python, todo dentro de este lenguaje se considera un objeto, por lo tanto la naturaleza de la Programación Orientada a Objetos que discutimos en algún momento del comienzo.

nombre = "John"

apellido = "Wick"

nombre + apellido

Aquí, no le pedimos al programa que imprimiera las dos cuerdas. Si desea imprimir estas dos en su lugar, simplemente añada la función de impresión y escriba las variables de la cadena con un signo + en el medio entre paréntesis. Suena bien, pero el resultado no será el que esperas:

nombre = "John"

apellido = "Wick"

print(nombre + apellido)

Salida:

JohnWick

Hmm. ¿Por qué crees que pasó eso? Ciertamente, usamos un espacio entre las dos variables. El problema es que las dos cadenas se han combinado, literalmente aquí, y no proporcionamos un espacio en blanco (espacio en blanco) después de John o antes de Wick, no incluirá eso. Incluso el espacio en blanco puede ser parte de una cadena. Para probarlo, añade un carácter de espacio en la primera línea del código pulsando en la barra espaciadora después de John. Ahora intenta ejecutar el mismo comando de nuevo y debería ver "John Wick" como resultado.

El proceso de fusión de dos cadenas se llama concatenación. Mientras que puedes concatenar tantas cadenas como quieras, no puedes concatenar una cadena y un entero juntos. Si realmente necesitas hacer eso, tendrás que usar otra técnica para convertir primero el entero en una cadena y luego concatenar la misma. Para convertir un entero, usamos la función *str()*.

text1 = "Cero es igual a"

text2 = 0

print(text1 + str(text2))

Salida:

Cero es igual a 0

Python lee los códigos en un método línea por línea. Primero, leerá la primera línea, luego la segunda, luego la tercera, y así sucesivamente. Esto significa que también podemos hacer algunas cosas de antemano, para ahorrarnos algo de tiempo.

text1 = "El cero sigue siendo igual a"

text2 = str(0)

print(texto1 + texto2)

Salida:

El cero sigue siendo igual a 0

Tal vez quieras recordar esto ya que visitaremos la conversión de los valores en cadenas mucho antes de lo que podría esperarse.

Hay otra forma de imprimir tanto las variables de cadena como las variables numéricas, todas al mismo tiempo, sin necesidad de signos '+' o conversión. Esta forma se llama formato de cadena. Para crear una cadena formateada, seguimos un proceso simple como se muestra aquí:

print(f" Aquí es donde estará {var 1}. Luego {var 2}, luego {var 3} y así sucesivamente")

Var 1, 2 y 3 son variables. Puedes tener tantas como quieras aquí. Fíjate en la importancia de los espacios en blanco. Intenta no usar tanto la barra espaciadora. Puede que al principio te cueste, pero al final le agarraras el tranquillo.

Cuando empezamos la cadena, colocamos el carácter 'f' para que Python sepa que es una cadena formateada. Aquí, los corchetes rizados están realizando una parte de los marcadores de posición. Dentro de estos paréntesis rizados, puedes recordar tus variables. Un conjunto de corchetes será un marcador de posición para cada variable que quieras llamar. Para poner esto en términos prácticos, veamos un ejemplo:

```
show = "GOT"

nombre1 = "Daenerys"

nombre2 = "Jon"

nombre3 = "Tyrion"

temporadas = 8

print(f"El programa llamado {show} tenía personajes como {nombre1}, {nombre2} y {nombre3} en las {temporadas} temporadas. ")
```

Salida:

El programa llamado GOT tenía personajes como Daenerys, Jon y Tyrion en las 8 temporadas.

Aunque existen otras variaciones para convertir los números enteros en cadenas y concatenar las cadenas entre sí, lo mejor es aprender las que se utilizan en toda la industria como estándar.

¿Recuerdas las comillas triples que mencioné antes? Creo que ahora estás en una buena posición para empezar a usarlas.

Echa un vistazo a este resultado, y ten en cuenta que no he usado ninguna variable aquí en absoluto.

Ahora, has visto cómo crear una variable, recordarla y concatenarla. Todo suena perfecto, excepto por una cosa; estos son valores predefinidos. ¿Y si necesitamos una entrada directamente del usuario final? ¿Cómo podemos saber eso? Incluso si lo hacemos, ¿dónde los almacenamos?

Valores de entrada de usuario

Supongamos que estamos tratando de crear un formulario en línea. Este formulario contendrá preguntas simples como pedir el nombre del usuario, edad, ciudad, dirección de correo electrónico, etc. Debe haber alguna manera de permitir a los usuarios introducir estos valores por sí mismos y que nosotros los recuperemos. Podemos utilizar la misma para imprimir un mensaje que agradezca al usuario por usar el formulario y que se le contacte en su dirección de correo electrónico para los próximos pasos.

Para ello, utilizaremos la función *input()*. La función input puede aceptar cualquier tipo de entrada. Para usar esta función, necesitaremos proveerla con alguna referencia para que el usuario final pueda saber lo que está a punto de llenar.

Veamos un ejemplo típico y veamos cómo se puede crear una forma así:

```
print("Hola y bienvenidos a mi tutorial interactivo.")

name = input("Tu nombre: ")

age = int(input("Tu edad: "))

city = input("¿Dónde vives?")

email = input("Por favor, introduzca su dirección de correo electrónico: ")


print(f"Muchas gracias {nombre}, se le contactará en {correo electrónico}.")
```

Salida:

Hola y bienvenidos a mi tutorial interactivo.

Tu nombre: *Sam*

Tu edad: *28*

¿Dónde vives? *Londres*

Por favor, introduzca su dirección de correo electrónico: *sam@abcxyz.com*

Muchas gracias Sam, te contactaremos en sam@abcxyz.com.

En lo anterior, comenzamos imprimiendo un saludo al usuario y dándole la bienvenida al tutorial. A continuación, creamos una variable llamada "nombre" y le asignamos un valor que nuestro usuario nos proporcionará generosamente. En la época, habrán notado que cambié la entrada a *int()*, así como cambiamos antes el entero a cadena. Esto se debe a que nuestro mensaje dentro de los parámetros de entrada es un valor de cadena por defecto, ya que está entre comillas. Siempre tendrás que asegurarte de saber qué tipo de valor buscas y hacer lo necesario como se muestra arriba.

A continuación, pedimos el nombre de la ciudad y la dirección de correo electrónico. Ahora, usando una cadena formateada, imprimimos nuestro mensaje final.

"¡Espera! ¿Cómo podemos imprimir algo que aún no hemos recibido o conocido?"

Mencioné que Python trabaja línea por línea. El programa comenzará con un saludo como se muestra en la salida. Luego, se moverá a la siguiente línea y se dará cuenta de que debe esperar a que el usuario introduzca algo y pulse enter. Por eso, el valor de entrada ha sido resaltado por fuentes en negrita y cursiva aquí. El programa entonces se mueve a la siguiente línea y espera una vez más a que el usuario ponga algo y presione enter, y esto continúa hasta que el comando de entrada final sea ordenado. Ahora el programa tiene los valores almacenados, inmediatamente recuerda estos valores y los imprime para que el espectador los vea al final.

El resultado fue bastante agradable ya que dio un mensaje personalizado al usuario y recibimos la información que necesitamos. ¡Todo el mundo se va feliz!

Almacenar la información directamente del usuario es esencial y a veces necesario. Imagina un juego basado en Python. El juego es bastante simple, en el que una pelota salta cuando tocas la pantalla. El problema es que tu pantalla no responde al toque en absoluto por alguna razón. Mientras eso sucede, el programa mantendrá la pelota en funcionamiento hasta que se detecte una entrada o simplemente no funcionará en absoluto.

También utilizamos funciones de entrada para reunir información como el ID de acceso y las contraseñas para hacerlas coincidir con la base de datos, pero ese es un punto que discutiremos más adelante cuando hablemos de las declaraciones. Es un poco más complicado de lo que parece en este momento, pero una vez que entienda cómo usar las declaraciones, estará un paso más cerca que nunca de convertirse en un programador.

Capítulo 4. Introducción a las declaraciones y los loops

¡Me gustaría confesar algo! ¡En realidad perdí la cuenta de los programas que has creado con éxito hasta ahora! ¡Bravo!

Nunca supiste que lo tenías hasta que decidiste coger este libro e intentarlo, ¿verdad? Así es exactamente como la mayoría de nosotros los programadores aprendimos. No nacimos como una variable predefinida que ya sabía si era un ingeniero, un científico de cohetes, un programador o un médico. Estábamos en blanco; la forma en que tallamos nuestro camino fueron nuestras elecciones individuales.

Python ofrece tanta flexibilidad y facilidad de comprensión que deja poco espacio para cuestionar por qué este lenguaje se está volviendo tan popular. Ya ha creado una forma, una manera de crear un saludo personalizado, y ha aprendido a tomar entradas, directamente de los usuarios, y almacenarlas en sus "contenedores" específicos y eso no es una hazaña ordinaria para alguien que no tenía ni idea de programar hace un tiempo.

Ahora, las cosas se pondrán interesantes. Aquí es donde comienza la parte del curso de choque, donde nos veremos obligados a usar la cabeza y pensar las soluciones. Aquí es donde todo nuestro conocimiento previo será puesto a prueba. Si han estado practicando los ejercicios y siguiendo los consejos y explicaciones, esperen disfrutar de su tiempo a partir de este momento.

Declaraciones: ¿Qué son?

Antes de empezar a explicar lo que es una declaración, déjame hacerte una simple pregunta. ¿Cuándo fue la última vez que tuviste que elegir entre dos cosas, dependiendo de los elementos como lo que prefieres, lo que puedes permitirte, lo que está cerca y lo que no? Siempre que tomamos decisiones, tenemos en cuenta bastantes componentes y elementos que eventualmente influirán en nuestra decisión en consecuencia. Del mismo modo, para ayudarnos en estas cuestiones, utilizamos declaraciones, y eso es exactamente lo que vamos a investigar.

En la definición más simple, afirma nada más que instrucciones que el intérprete de Python entiende y ejecuta. Nosotros mismos hemos estado escribiendo algunas cuando establecemos valores a las variables.

Las declaraciones en las que asignamos valores a las variables se llaman declaraciones de asignación. Sin embargo, mientras se discuta sobre Python, generalmente las declaraciones se refieren a declaraciones "if".

La declaración de "if" es lo que le da a Python una situación y le permite tomar las medidas apropiadas "if" una situación dada es verdadera. De lo contrario, toma otra ruta. Suena fácil, y de hecho también es interesante. Veamos cómo podemos crear nuestra primera declaración "if".

Esta es la situación. Un usuario desea iniciar sesión usando su cuenta. El mensaje pide sólo la clave de acceso. Si el usuario introduce la contraseña correcta, distinguiendo entre mayúsculas y minúsculas, se le debería permitir el acceso. Si el usuario introduce la contraseña incorrecta, no debería pasar e informar al usuario de que la contraseña introducida es incorrecta.

Para ello, primero tenemos que establecer una contraseña. Puedes crear una predefinida o pedirle al usuario que cree una nueva contraseña y luego volver a introducirla. Te dejo la elección a ti.

```
password = input("Crear una contraseña: ")

print("Bienvenido al portal")
```

Hasta ahora, sólo he pedido al usuario que introduzca una contraseña de su elección. Si lo desea, puede establecer cualquier cadena o número como contraseña. A continuación, he creado un pequeño saludo de bienvenida. Ahora, le pediremos al usuario que introduzca su contraseña:

```
password_check = input("Por favor, introduzca su contraseña: ")
```

Lo único que vale la pena señalar aquí es que cambié el nombre de la variable. Si se preguntan por qué, es porque si hubiera usado el mismo nombre de la variable, habría actualizado la contraseña, en lugar de compararla. Como queremos verificar la contraseña, tendremos que usar una variable diferente.

Ahora, el cliente nos ha dado dos datos. Aquí, le decimos a Python qué hacer si la contraseña coincide.

```
if password_check == password:

        print("¡Exitoso! ¡Bienvenido de nuevo!")
```

Hay dos cosas que hay que tener en cuenta aquí. Cada vez que escribas "if" como primera palabra, PyCharm detectará que deseas crear una declaración "if". El color de "if" cambiará para denotar lo mismo. Después de "if", necesitamos definir nuestra condición. Para ello, habrás observado que he usado "==" en lugar de un solo signo igual. Estos signos se llaman Operadores, que discutiremos más adelante. Todo lo que necesitas saber aquí es esto:

"=" se utiliza para asignar un valor

"==" se utiliza para igualar dos variables o comparar para ver si las dos son exactamente iguales.

En el caso anterior, utilizaremos este operador de comparación. Aquí está la parte más interesante; a diferencia de todos los códigos que hemos escrito hasta ahora, esta línea termina con dos puntos ':'.

Cada declaración condicional, como la declaración "if" termina con un punto en Python para crear un bloque de código que se ejecutará bajo ese punto. La siguiente línea comenzará con una indentación. No elimines esa sangría ya que eso causaría confusión. Como ya había establecido la condición que literalmente se lee como, "If password_check es exactamente lo mismo que password" y ahora he añadido el comando que debe llevar a cabo si se cumple la condición. Cuando ejecute este programa, comenzará con el aviso que le pedirá que elija una contraseña. Que se almacenará como una

46

variable llamada password. Luego, el prompt nos pedirá que escribamos la contraseña una vez más para verificarla o para el acceso. Todo lo que escribamos aquí se almacenará en una variable llamada password_check. Ahora, Python comparará los dos valores y verá si los dos son exactamente iguales. Si es así, imprimirá un mensaje de éxito.

Estoy bastante seguro de que has intentado introducir deliberadamente la contraseña equivocada. Terminó el programa por completo sin ninguna advertencia, ¿verdad? Hay una razón para ello. Sólo hemos definido la condición "if". Nunca llegamos a la parte de definir la condición "else".

La condición "else" es la condición final, y normalmente entra en juego cuando la condición "if" u otras no son verdaderas y no se cumplen. Para ello, añadiremos dos líneas de código debajo de la primera. Ahora, todo el programa debería verse así:

```
password = input("Crear una contraseña: ")

print("Bienvenido al portal")


password_check = input("Por favor, introduzca su contraseña: ")


if password_check == contraseña:

        print("¡Exitoso! ¡Bienvenido de nuevo!")

else:

        print("Lo siento amigo! Eso es un Nay!")
```

Fíjate como la declaracion "else" no necesita sangría aquí, y tampoco requiere que proporciones condiciones adicionales.

Ahora, ejecutaré el código dos veces. Una vez correcto y la otra incorrecto. Veamos cómo funciona:

Contraseña correcta

Crear una contraseña: 123

Bienvenido al portal

Por favor, introduzca su contraseña: 123

¡Exitoso! ¡Bienvenido de nuevo!

Contraseña incorrecta

Crear una contraseña: 123

Bienvenido al portal

Por favor, introduzca su contraseña: 122

¡Lo siento, amigo! ¡Eso es un Nay!

Aquí hay una pregunta, ¿qué pasa si hay más de una condición para una declaración? Supongamos que hay que elegir un número entre uno y tres y luego dar un mensaje apropiado, dependiendo del número que el usuario elija, ¿cómo lo haríamos?

```
print("Bienvenido a mi pequeño juego")

number = int(input("Elige un número entre 1-3: "))

if number == 1:

        print("Te encanta considerarte un líder, ¿verdad?")

number elif == 2:

        print("Odias estar solo, ¿verdad?")

number elif == 3:

        print("Cuanto más, mejor, ¿no?")

else:
```

```
    print("¿En serio? No puedes seguir instrucciones simples,
¿verdad?")
```

Es una forma bastante familiar de decir las cosas, pero lo único que hay que tener en cuenta aquí es la declaración de "elif". El "elif" se encuentra entre "if" y "else", donde "if" es la primera condición y "else" es cuando no se cumplen las condiciones.

Sí, lo sé. Debería haber sido llamado "ifel" pero de nuevo, ¡es lo que es!

Pruébalo tú mismo, comprueba cada uno de estos con varios números según tus elecciones. Para un poco de diversión, usa cualquier número mayor que tres y mira lo que pasa.

Así es como Python maneja las declaraciones condicionales. Si eres un poco gamer, puede que hayas visto varios juegos en los que las decisiones pueden influir en el resultado del propio juego. ¡Ahora ya sabes quién es el culpable!

No hay límite para el número de declaraciones "elif". Puedes crear tantas como quieras. Dicho esto, hagamos esto un poco más interesante.

Declaraciones condicionales anidadas ("if")

Supongamos que usamos los mismos números que arriba, pero esta vez, queremos añadir una declaración "if" dentro de una declaración "if". Imaginemos que queremos que nuestro usuario seleccione otro valor numérico, esta vez en números decimales, sólo si el usuario decide elegir el primer valor como número.

Echa un vistazo al código de abajo e intenta averiguar cómo se ejecutará el código.

```
print("Bienvenido a mi pequeño juego")

number = int(input("Elige un número entre 1-3: "))


if number == 1:
```

```python
print("Te encanta considerarte un líder, ¿verdad?")

number2 = float(input("Introducir un número con una cifra decimal entre 1 y 2: " ))

if number2 == 2.00:

print("¡Está bien! ¡Quise decir un poco menos que eso!")

number elif < 1.50:

print("¡Oh, vamos! ¡Puedes ir más alto!")

else:

print("Sabes qué, olvídalo!")


number elif == 2:

print("Odias estar solo, ¿verdad?")

number elif == 3:

imprimir ("Cuanto más, mejor, ¿no?")

else:

print("¿En serio? No puedes seguir instrucciones simples, ¿verdad?")
```

Creamos otra variable dentro de la primera condición. Si el usuario decide conformarse con una, el aviso le pedirá que introduzca otro número. Usamos la conversión aquí para convertir el número entrante en un decimal, ya que tendrá una cifra decimal.

Luego creamos otra condición que define el límite superior y el límite inferior. Para añadirle un poco de diversión, no hay un número correcto para elegir aquí. Independientemente de lo que el usuario pueda elegir, recibirá un mensaje que le indicará que se ha pasado un poco de la raya, o uno que le animará a ir más alto. El resto siempre dejará al usuario en un estado un poco desconcertado.

Este tipo de declaración condicional dentro de una declaración condicional se denomina declaración anidada. Este bloque completo de código puede ser evitado si el usuario decide ir por cualquier otro número que no sea el punto de activación.

Estos pueden ser a veces muy útiles. Puede que ya hayas estado usándolas en Facebook, Netflix y otras plataformas importantes. Estos están diseñados para refinar aún más los resultados.

Mientras hacíamos todo esto, había algo que esperaba que me preguntaras.

"¿Por qué tenemos que poner un valor y reiniciar el programa cada vez para probar otro valor?"

Tiene sentido. Será muy molesto si tu programa se reinicia desde el principio cada vez que alcance algún resultado, ya sea positivo o no. Sería como en los viejos tiempos, en los que los juegos de Nintendo eran divertidos, hasta que se te acababan las vidas y la pantalla decía "Game over" y se reiniciaba desde el principio. Fueron días frustrantes, ¿no?

Para abordar tal cuestión, utilizamos lo que se llama 'Loops' y estos son tan importantes como las declaraciones condicionales que vimos anteriormente.

Loops - El ciclo sin fin

Imagina que estás creando un programa que pide al usuario que adivine un número. Lo ideal sería que el código se ejecutara tres veces antes de que el usuario supiera que consumió sus tres oportunidades y falló. Del mismo modo, el programa debería ser lo suficientemente inteligente para saber si el usuario adivinó el número correcto, en cuyo caso, terminaría la ejecución del programa mostrando "¡Adivinó el número correctamente!"

Utilizamos bucles para abordar tales situaciones. Los bucles son cuando un bloque entero de código continúa corriendo una y otra vez, hasta que la condición establecida ya no es válida. Si olvidas establecer una condición, o si una condición no está definida correctamente, puede iniciar un bucle interminable que nunca cesará, haciendo que el programa se bloquee por completo.

No te preocupes, tu sistema no se bloqueará. Puedes terminar el programa usando el botón rojo/rosa de parar que siempre aparece por arte de magia después de pulsar el botón verde de ejecución.

Hay esencialmente dos tipos de bucles que usamos en Python. El primero es el bucle "while", y el segundo es el bucle "for".

El bucle 'While'.

Este tipo de bucle ejecuta un bloque específico de código mientras la condición dada permanezca verdadera. Una vez que la condición dada ya no es válida, o se convierte en falsa, el bloque de código terminará de inmediato.

Esta es una característica bastante útil, ya que puede haber códigos en los que se puede confiar para procesar la información rápidamente. Para darte una idea, supongamos que tienes que adivinar un número. Tienes tres intentos. Quieres que el prompt pida al usuario que adivine el número. Una vez que el usuario adivine el número equivocado, reducirá el número máximo de intentos de tres a dos, informará al usuario que el número es incorrecto y luego le pedirá que adivine otra vez. Esto continuará hasta que el usuario adivine el número correcto o se utilice el número establecido de adivinanzas y el usuario no logre identificar el número.

Imagina cuántas veces tendrías que escribir el código una y otra vez. Ahora, gracias a Python, sólo lo escribimos una vez bajo el bucle 'while' y el resto se hace por nosotros.

Así es como se ve la sintaxis del bucle "while":

while condition:

código

    código

    ...

Comienza escribiendo la palabra "while" seguida de la condición. Luego añadimos dos puntos, como hicimos con la frase "if". Esto significa que, lo que sea que siga después, se sangrará para mostrar que lo mismo está funcionando debajo del bucle o la declaración.

Vamos a crear un simple ejemplo de esto. Empezamos por crear una variable. Démosle a esta variable un nombre y un valor como este:

```
x = 0
```

No hay nada divertido aquí, así que vamos a añadir algo para hacerlo más emocionante. Ahora, crearemos una condición para un bucle de tiempo. La condición establecería que mientras x sea igual o menor que 10, el aviso continuará imprimiendo el valor de *x*. Así es como lo harías:

```
x = 0

while x <= 10:

        print(x)
```

¡Ahora trata de correr eso para ver qué pasa!

Su consola está ahora bombardeada con un interminable bucle de ceros. ¿Por qué ha pasado eso? Si miras lo suficientemente cerca del código, sólo asignamos un valor a nuestra variable. No hay ningún código para cambiar el valor o aumentarlo en uno o dos, o nada de eso.

Para poder crear una variable que continúe cambiando después de que haya impreso el valor inicial, necesitamos añadir una línea más al código. Llámalo como el código de incremento, donde *x aumentará* en uno después de imprimir un valor. El bucle se reiniciará entonces, esta vez con un valor más alto, imprime eso y luego agrega una más. El bucle continuará hasta que *x* sea igual a 10. En el momento en que alcance el valor de 11, el intérprete sabrá que la condición ya no es verdadera o válida, y por lo tanto saldremos del bucle.

```
x = 0
```

```
while x <= 10:

    print(x)

    x = x + 1
```

La última línea ejecutará y recordará el valor actual de *x*, y luego añadirá uno al valor. El resultado se vería así.

1

2

3

4

5

6

7

8

9

10

Si no te gustan las cosas que se añaden así, añade una pequeña declaración impresa que diga "El fin" y eso debería servir.

¡Casi lo olvido! Si tienes intención de añadir una declaración impresa al final, asegúrate de pulsar la tecla de retroceso para borrar la sangría primero.

Vamos a hacer las cosas un poco más divertidas ahora, y para ello, vamos a crear nuestro primer juego básico.

Déjame pintar el escenario primero. Si quieres, toma un bolígrafo y un papel, o simplemente abre el bloc de notas de tu computadora. Intenta escribir lo que crees que es la posible solución para esto.

El juego tiene un número secreto que el usuario final no puede ver. Supongamos que el número está fijado en 19. Permitiremos que el usuario tenga tres intentos para adivinar el número correctamente. El juego se completa de varias maneras posibles:

El usuario adivina el número correctamente antes de que se le acaben las vidas.

El usuario se queda sin las tres oportunidades y no puede adivinar el número.

El usuario adivina el número en el último intento.

Usa tu imaginación y piensa cuál puede ser el código posible. Una vez listo, procedamos a la codificación real de este juego y veamos cómo funciona esto.

Pista: ¡Utiliza *tanto un bucle de "while" como una declaración de "if"*!

Bien hecho para los que lo intentaron. No hay que avergonzarse de no conseguirlo. ¡Yo mismo no hice lo mismo hasta que vi la solución y prácticamente me pateé a mí mismo!

```python
my_number = 19

guess = 0

max_guess = 3

while guess < max_guess:

        number = int(input("Adivina el número: "))

        guess += 1

        if number == my_number:

        print("¡Wow! ¡Mírate, genio!")

         break

        else:
```

```
        print("¡No! ¡Ni en un millón de años! ¡Inténtalo de nuevo!")


else:

        print("Se te acabaron las oportunidades")
```

"¡Espera! ¿Por qué usaste un 'else' con el bucle 'while'? ¡No sabía si podías hacer eso!"

¡Ahora lo sabes! El "else" no se limita a las declaraciones de "if", también puedes usarlo con "while".

Así es como se ve el resultado final:

Todas las suposiciones incorrectas

Adivina el número: 1

¡No! ¡Ni en un millón de años! ¡Inténtalo de nuevo!

Adivina el número: 2

¡No! ¡Ni en un millón de años! ¡Inténtalo de nuevo!

Adivina el número: 3

¡No! ¡Ni en un millón de años! ¡Inténtalo de nuevo!

Te quedaste sin posibilidades

Suposición correcta

Adivina el número: 17

¡No! ¡Ni en un millón de años! ¡Inténtalo de nuevo!

Adivina el número: 18

¡No! ¡Ni en un millón de años! ¡Inténtalo de nuevo!

Adivina el número: 19

¡Vaya! ¡Mírate, genio!

¿Recuerdas las declaraciones condicionales anidadas? Esto es exactamente eso. El programa comienza por entender primero ciertas variables. Mira cómo las he nombrado para que sea un poco más fácil de leer.

Le dimos a "guess" un valor de cero para empezar. Eso es exactamente lo que hay que hacer, ya que el primer intento aún no ha sido registrado por el sistema. Siempre empieza tales suposiciones/intentos desde cero y luego añade incrementos. Luego seguimos fijando un límite superior. Podríamos haber escrito lo mismo de esta manera:

```
while guess <= 3:
```

El problema con esto habría sido que el dígito "3" sólo era reconocible por nosotros. Para cualquier otro programador, esto no tendría ningún sentido. Por lo tanto, lo reemplazamos por una variable para que literalmente mejore la legibilidad. Ahora, se lee así:

"Mientras que la suposición es menor o igual a tres:"

Así es como siempre debes apuntar tus códigos. Deberían ser legibles y fáciles de entender para todos.

"<=" *es* otro operador. Aquí, los valores son menores o iguales a lo que sea el valor de la variable en el otro lado.

Empezamos pidiendo al usuario que adivine, y eso es lo que necesitamos como entrada. Sin embargo, como será un número entero, también convertimos el mismo en un número entero. Después de que el usuario adivinó el número, ya sea correcto o incorrecto, necesitamos inmediatamente que el programa agregue un valor de '1' al número de adivinanzas. Aquí es donde usamos un incremento. Pero, a diferencia de lo que hicimos antes, cambié un poco y usé el operador '+='. Básicamente significa incrementar el valor en cualquier dígito que elijas escribir en el otro lado. Si te sientes más cómodo usando el método anterior, también funcionaría perfectamente.

Ahora, aquí está el giro. Usamos una declaración de "if" para que el programa sepa que si el usuario adivina el número exacto, debe imprimir un mensaje apropiado para la ocasión. De lo contrario, la condición 'else' tendrá lugar, siempre y cuando no sea la tercera y última suposición.

Si la suposición final es errónea, la cuenta aumentará por el número de suposiciones y la declaración de "while" ya no será verdadera, en cuyo caso, la parte de "else" entrará en juego y terminará el juego.

Lo que hay que notar aquí es la palabra "break" que usé dentro del código. Adelante, veamos qué pasa cuando quites esto. Si adivinaste mal los números, el código funcionará bien. Y, si terminas introduciendo el valor correcto, en lugar de terminar el juego, seguirá hasta el tercer intento.

Para evitar que eso suceda, utilizamos la declaración de "break" para que el programa sepa qué hacer si se cumple la condición anterior a la declaración de "break".

Ahora, no queda casi nada sobre el bucle "while", pasemos a los bucles "for". Ligeramente diferente a lo que se podría esperar, pero interesante sin embargo.

El bucle 'For'.

El bucle 'while' ejecuta cualquier bloque de código que se escriba en múltiples ocasiones, hasta que la condición ya no se cumpla o sea inválida.

El bucle 'for' está diseñado para "iterar sobre los elementos de las colecciones" y de inmediato, eso está causando cierta confusión.

No te dejes intimidar por palabras extravagantes o lenguaje técnico, una vez que veas el bucle en acción, automáticamente empezará a tener sentido.

Para darle un poco de sentido, veamos el ejemplo siguiente:

For char in "Loops":

```
    print(char)
```

Para crear un bucle "for", comenzamos usando la palabra clave aquí. La palabra 'char' es sólo una variable que hemos creado. Fíjate en cómo no definimos esta variable antes. Siempre que usamos bucles 'for', creamos lo que se llama variables de bucle. Éstas existen sólo dentro del propio bucle, para llevar a cabo el bucle y sus operaciones. Aquí, usé 'char' para representar 'caracteres' ya que Python no identifica las letras como letras.

Lo que esto significa es "para cada carácter de la palabra 'Bucles'", imprime los caracteres. Seguramente, si ejecutas este código, terminarás con esto:

L

o

o

p

s

El sistema itera sobre cada uno de los componentes y luego los utiliza según lo que dice el programa. Aquí, sólo le pedimos que imprimiera los caracteres. Empezó con la 'L' y luego pasó a la 'o' y continuó hasta que no quedaban caracteres.

No es necesario que uses una cadena, puedes usar lo que se llaman listas. Se trata de una colección de valores, ya sean cadenas o números, almacenados dentro de una lista. Las listas están representadas por un corchete '[]' y pueden contener tantos elementos como quieras.

Intentemos eso y veamos qué pasa:

```
for char in ["Yo", "Amo", "Programar"]:

        print(char)
```

Salida:

Yo

Amo

Programar

¿Ves cómo eso difiere? Eso es porque cuando usábamos una sola cadena, cada personaje era un objeto diferente. Aquí, la lista contiene múltiples objetos, en lugar de imprimirlos por separado, imprimía lo que fuera el valor dentro de cada componente de la lista.

Aquí hay un ejemplo más, y este tiene una nueva función para que nos sumerjamos. Supongamos que deseas imprimir los números del 1 al 20. En lugar de escribir los números enteros, usamos una función incorporada llamada *range():*

```
for number in range(20):

        print(number)
```

Aquí, pasamos el extremo superior del rango como parámetro. Ahora, Python ejecutará esto para nosotros y los resultados serán exactamente como se imaginan:

0

1

2

3

4

5

6

7

8

9

10

11

12

13

14

15

16

17

18

19

¿Ves cómo imprimió los números a 19 y no a 20? Eso es porque para Python, la primera posición siempre se considera como cero. Si te desplazas hacia arriba, verás que el conteo comenzó desde cero. Por ahora, no te atasques ahí abajo. Discutiremos eso cuando hablemos de los números de índice.

Si desea establecer un punto de partida específico, puede hacerlo añadiendo un valor, seguido de una coma, justo antes del 20:

```
for  number in range(10, 20):
```

Ahora el conteo comenzará desde 10 y terminará en 19. Subamos eso un poco más. Supongamos que quiero imprimir los números del 10 al 20, y quiero que se imprima el 20, pero no quiero todos los números. Quiero que el programa imprima cada 2 números, como 12, 14, 16 y así sucesivamente. En realidad puedes hacerlo ya que esta función de rango viene con lo que se denomina un "step" para esta función.

```
for number in range(10, 21, 2):

        print(number)
```

Salida:

10

12

14

16

18

20

Ahora, el programa se ejecuta, comienza con el primer número y sabe que necesita saltar dos e imprimir ese número. Esto continuará hasta que se imprima el último número, o el último número posible de iteración. Fíjense, para imprimir 20, tuve que cambiar el valor a 21 dentro del rango.

El comercio electrónico y las tiendas electrónicas las usan bastante para iterar sobre los artículos del carrito y entregarle un precio total de su compra potencial. En caso de que quieras ver cómo sucede eso, aquí hay un ejemplo más para un bucle "for".

Escenario: Tengo cinco artículos en mi carro imaginario. Tienen un precio de 5, 10, 15, 20 y 25 dólares, respectivamente. Quiero que el programa me haga saber cuál es mi total. Aunque puedo usar la calculadora yo mismo, o hacer una pausa de unos segundos y calcular el precio yo mismo, quiero una solución más rápida. Tú, como programador, tendrás que crear algo como esto:

```
prices = [5, 10, 15, 20, 25]

total = 0

for item in prices:

        total += item

print(f"Su precio total es: ${total}")
```

Salida:

Su precio total es: 75 dólares

Seamos honestos. Esto fue mucho más divertido que usar una simple calculadora, ¿no? La programación puede ser difícil a veces, y también frustrante. A veces, puedes llegar a un punto en el que pasas el resto del día preguntándote qué puede estar causando que pases un rato tan espantoso con un programa que parece demasiado simple de ejecutar.

¡Relájate! Todos nos enfrentamos a eso. Viene con el tipo de trabajo que hacemos. La programación puede ser bastante engañosa y le llevará mucho tiempo dominarla. Lo importante es que nunca te rindas. Si te sientes frustrado, toma un trago, toma un poco de aire fresco y calma tu mente. La solución sería más obvia de lo que piensas.

Ahora que nos hemos calmado un poco. Volvamos a aprender Python. Es hora de poner fin a los bucles aprendiendo otro tipo de bucle llamado bucle "anidado". Si recuerdan, ya hemos visto una declaración condicional anidada; una declaración "if" dentro de una declaración "if". De forma similar, usamos un bucle "for" dentro de un bucle "for" para obtener cosas que deseamos adquirir.

El bucle "anidado

Comencemos esto tratando de escribir algunos valores para "a", "b" y "c" Deseamos tener valores de cero a dos para cada uno de ellos de una manera similar a como escribimos las coordenadas:

(a, b, c)

(0, 0, 0)

(0, 0, 1)

Y así continúa hasta que la 'c' es dos, después de lo cual el contador es (1, 0, 0) y comienza de nuevo. Sería mucho trabajo si escribiéramos esto por nuestra cuenta. Afortunadamente, tenemos a Python para ayudarnos usando bucles anidados. ¿Cómo? Echemos un vistazo.

```python
for a in range(3):

    for b in range(3):

        for c in range(3):

            print(f"({a}, {b}, {c}")
```

¡Vaya! ¡Miren eso! Un bucle "for" dentro de un bucle "for" dentro de otro bucle "for". Eso es un montón de bucles justo ahí. Pero, así es exactamente como esto funcionará. Lo que sucede ahora es que el programa se inicia con la primera posición de nuestra variable de bucle 'c' mientras que las variables restantes mantienen un valor de cero. Entonces, el bucle comienza de nuevo; esta vez, sólo 'c' salta a un valor de uno mientras que las demás permanecen igual. Esto continuará hasta que 'c' llegue al final del rango, después de lo cual 'b' ganará el valor de uno. Con suerte, verás cómo va esto. El resultado es el mismo que el de abajo:

(0, 0, 0)

(0, 0, 1)

(0, 0, 2)

(0, 1, 0)

(0, 1, 1)

(0, 1, 2)

(0, 2, 0)

(0, 2, 1)

(0, 2, 2)

(1, 0, 0)

(1, 0, 1)

(1, 0, 2)

(1, 1, 0)

(1, 1, 1)

(1, 1, 2)

(1, 2, 0)

(1, 2, 1)

(1, 2, 2)

(2, 0, 0)

(2, 0, 1)

(2, 0, 2)

(2, 1, 0)

(2, 1, 1)

(2, 1, 2)

(2, 2, 0)

(2, 2, 1)

(2, 2, 2)

¡Uf! Eso nos habría llevado bastante tiempo escribir. Sin embargo, algún ingenioso truco de bucles anidados y sólo unas pocas pulsaciones más tarde, lo tenemos ahora mismo lo queremos. Así de efectivos son los bucles anidados. Cuando se trata de grandes trozos de datos, se debe confiar bastante en los bucles anidados. Estos hacen el trabajo y son muy efectivos también.

Ahora, ya que eso está fuera del camino, centrémonos en los operadores. Esas molestas señales que cambian de vez en cuando, ¿recuerdas? Estaremos investigando estos para ver cómo funcionan para nosotros.

Capítulo 5. Operadores - Los tipos y sus usos

Los operadores son más o menos como suenan. Operan según nuestras necesidades y conectan dos puntos entre sí.

Esa fue la forma más simple en que puedo explicar esto. Sin embargo, hay bastantes operadores disponibles cuando se trata de Python. Se utilizan para varios propósitos y parecen ser utilizados en todos los programas que se crearán, aparte de aquellos en los que sólo se depende de declaraciones impresas.

No voy a perder mucho tiempo aquí, así que vayamos directo al asunto y veamos los tipos primero y luego nos movemos un poco hacia sus usos, ambos incluyendo un poco de aritmética también.

No soy un fanático de la aritmética, pero es necesario.

Los tipos

Inmediatamente, comenzamos a ver algunos básicos. Cuando hablamos de aritmética, lo primero que aparece son los signos de suma, resta, multiplicación y división. Python tampoco es ajeno a estos. Hay un montón de aplicaciones y programas diseñados usando estos. Estaremos investigando esos también, lo prometo.

+, -, /, *

Los signos anteriores, sin incluir las comas, son de naturaleza universal. Ya sea que hables inglés, japonés o mandarín, sabes que estás tratando con algunos operadores básicos. Estos operadores se utilizan en todo el mundo, al menos en una calculadora. El uso de estos dentro de Python en este momento, con suerte, no debería ser un problema para ti. Sin embargo, estos no son los únicos operadores que usamos.

El signo "=", si recuerdas, no es un signo "igual a" en Python. Es un operador que asigna un valor a una variable. Para igualar algo, usamos el signo '=='.

Estoy seguro de que ya te habías dado cuenta. ¿Qué hay de estos entonces?

!=

>=

<=

%

//

**

+=

Guardando el último, que técnicamente se llama operador de asignación aumentada, el resto podría parecer un poco diferente. No te preocupes, estoy aquí para explicar esto.

!=

Este es el operador "No es igual a". Normalmente se utiliza en las declaraciones para comparar escenarios y crear condiciones que no son iguales a algo. ¿Cómo funciona?

Aquí hay una versión simple. Después de esto, buscaremos una más compleja.

x = 28

y = 19

print(x != y)

Salida:

true

El valor de salida aquí no será un número, sino un valor booleano de "Verdadero".

Aquí hay uno de naturaleza más compleja. Supongamos que tienes una lista de preguntas para que el usuario compruebe la aprobación del préstamo. Una de estas preguntas tendrá "¿Tiene alguna condena criminal o historial registrado?" a la que los bancos se negarán automáticamente. En el lenguaje de programación, crearemos una declaración de "if" y usaremos los mismos detalles que en "bajo":

```
edad = 28

trabajando = True

casado = False

tiene_antecedentes_penales = False

if tiene_antecendentes_penales != True:

        print("¡Tienes derecho a un préstamo!")

else:

        print("Lo siento, pero no eres elegible para un préstamo")
```

Suponiendo que llenemos esto, la solicitud imprimirá automáticamente que la persona es elegible para un préstamo. Sin embargo, cambia tiene_antecedentes_penales a True y luego ejecuta el programa. Ahora el programa ejecutará la sentencia 'else' ya que tiene_antecedentes_penales ahora coincide con 'True' y, por lo tanto, hace que la condición 'if' sea nula.

>= y <=

Los operadores "mayor e igual a" y "menor e igual a" ya fueron utilizados por nosotros al menos una vez. Se utilizan de manera similar al operador '!='. Sin embargo, debido a la naturaleza de estos operadores, los usamos para los números, ya sean enteros o decimales. También se llaman operadores de comparación, y también lo son los operadores '!=' y '=='.

Démosle un uso a esto y veamos cómo funciona. Ten en cuenta que este va a echar un vistazo más de cerca. Lo he diseñado deliberadamente para intimidarte. Si lees con atención, te darás cuenta inmediatamente de lo fácil que es entender lo que pasa aquí.

```
print("¡Bienvenido a nuestro verificador de elegibilidad en línea!")

age = int(input("Introduce tu edad: "))

has_license = input("¿Tienes licencia? [S/N]: ")

if has_license.lower() == "y":

        has_license = True

else:

        has_license = Falso

salary = int(input("Su salario mensual: $"))

if age <= 35:

        print("La edad está bien!")

        if has_license == True:

        Imprimir ("Tienes una licencia válida").

         if salariy >= 3500:

        print("¡Perfecto! Eres elegible.")

         else:

        print("Lo siento pero estás por debajo de nuestro requisito
mínimo")

        else:

        print("Lo siento, pero necesitas tener una licencia válida")

else:
```

```python
print("Estás por encima de nuestro límite de edad máximo.")
```

He creado un pequeño comprobador de elegibilidad para ver si una persona es elegible para un servicio. Aquí encontrará la mayoría de los operadores de comparación trabajando. También le he dado a este código un poco de libertad. Ahora, ya no tenemos que poner los valores manualmente. El usuario puede poner los valores requeridos y el programa se ejecutará al instante para entregar los resultados en consecuencia. Adelante, pruebe el programa y ve cómo funciona para ti.

Una vez más, te animo a que cambies los valores, modifiques el programa y veas cómo funciona. Cuanto más experimenten, más rápido aprenderán.

Por lo anterior, siempre y cuando se cumplan todas las condiciones, esta será la salida:

¡Bienvenido a nuestro verificador de elegibilidad en línea!

Introduzca su edad: 28

¿Tienes una licencia? Sí.

Su salario mensual: $4000

¡La edad es la correcta!

Tienes una licencia válida.

¡Perfecto! Eres elegible.

Aunque todo parece ir perfecto hasta ahora, ¿notaste algo nuevo en el código? Mira de nuevo la primera declaración de "if". Justo al principio de la condición, usé has_license.lower(), ¿qué crees que es?

A la variable que creé se le asignaron algunos métodos incorporados, y accedí a uno de esos llamados *lower()*. Son muy parecidos a las funciones, pero en lugar de tener bloques masivos de códigos dentro de ellos, sólo tienen un propósito. En este caso, quería asegurarme de que lo que el usuario introduce, se convierte en minúsculas, para que coincida con la

71

condición. Dado que Python es un lenguaje sensible a las mayúsculas y minúsculas, si hubiera dejado el valor como 'Y', la condición nunca se habría cumplido.

Para acceder a la lista de métodos disponibles, después del nombre de una variable, escriba un punto '.' y se abrirá la lista de métodos.

Discutiremos los métodos cuando empecemos a hablar de las funciones en el próximo capítulo.

Pasemos a los tres restantes para poder discutir algo igualmente importante: la precedencia del operador.

El "%" se llama el operador de módulo. Esto básicamente devuelve el valor restante de la ecuación. Probemos esto:

alfa = 20

beta = 11

print(alfa % beta)

Salida:

9

Este operador primero divide los dos números y luego saca el resto, ya que no hay más división posible. Puede intentar cambiar el valor de alfa a 200, y el resto será dos.

El "/" es un operador de división sencillo. Sustituye el signo del módulo de arriba (alfa en 20) por el signo de división y obtendrá el siguiente resultado:

1.8181818181818181

Ahora, el punto a destacar aquí es que introdujimos dos números enteros, y el valor de retorno fue un decimal. ¿Y si en vez de eso queremos conformarnos con un número entero? Ahí es donde usamos el signo '//'. Ahora, usa este signo en lugar del signo de división. El resultado debería ser sólo '1'. El resultado no se redondeará a la décima parte más cercana. Este es el operador de división del piso que siempre devuelve un valor entero.

Sin embargo, si deseas redondear el valor, tendrás que utilizar una función llamada *round()* y así es como lo hará:

alfa = 20

beta = 11

print(round(alfa / beta))

Salida:

2

Finalmente, tenemos los signos de "**". Estos son operadores exponenciales. Ahora, reemplaza el operador de división por el operador exponencial, elimina la función de redondeo, y obtendrá el siguiente resultado:

204800000000000

¡Ah! ¡Si tuviéramos tantos dígitos en nuestras cuentas!

Bueno, ahora que hemos visto a los operadores y sus tipos, vamos a discutir un poco sobre la precedencia de los operadores.

El precedente de los operadores

¿Cuál crees que sería el resultado de este simple cálculo?

print(10 + 20 - 5 * 4 / 2 ** 2)

¿400? ¿20? ¡No! La respuesta sería 25. ¿Por qué? Porque hay una precedencia específica que los operadores siguen. Hay algunos que tienen mayor prioridad y se calculan primero. Aquí hay una forma sencilla de explicar las cosas:

Exponer > Dividir > Multiplicar > Sumar/Restar

Eso es siempre el caso en Python. Y con eso, podemos despedirnos de algunos operadores básicos e ir a uno un poco más avanzado una vez.

Los operadores lógicos

Con el fin de explicar esto un poco más claramente, vamos a crear un escenario. Se te pide que crees un programa que compruebe la elegibilidad de alguien para una hipoteca, basado en ciertos valores e insumos. Se te dice que hay preguntas como preguntar el nombre, la edad, y luego hay dos factores importantes que influirán en la decisión. Estos se refieren a que el solicitante tenga un buen o mal historial de crédito, y que tenga un alto ingreso de por lo menos $5,000 por mes.

Para crear esto, ciertamente podemos hacer lo que hice antes, usando declaraciones condicionales anidadas, pero a veces, puede que no sea la mejor opción. En su lugar, usamos operadores lógicos para hacer el trabajo duro por nosotros. ¿Cómo? Averigüémoslo, ¿sí?

```python
print("Comprobador de elegibilidad 101")

name = input("Por favor, introduzca su nombre: ")

age = int(input("Por favor, introduzca su edad: "))

salary = int(input("¿Cuál es tu salario mensual?"))

min_salary = 5000

has_good_credit = True

if salary >= min_salario and has_good_credit:

        print(f"Felicitaciones {nombre}, Usted es elegible para una
hipoteca.")

else:
```

```
      print(f"{nombre}, parece que no puede ser elegible en este
momento")
```

El primer operador lógico que tenemos aquí es el operador "and". Lo que hace es crear una condición en la que tanto el primero como el segundo deben cumplirse. Si no, no se considerará el bloque completo de código y se ejecutará la sentencia "else" en su lugar.

Nota: ¿Ves como no he asignado ningún operador de comparación para el has_good_credit? Eso es porque el valor de eso es un valor bool, que actualmente se establece como verdadero!

Si lees este código en un lenguaje sencillo, se lee literalmente:

"Si el salario es igual o superior al salario mínimo, y tiene buen crédito"

Ahora, escribamos los valores para ver si esto funciona:

Comprobador de elegibilidad 101

Por favor, introduzca su nombre: Smith

Por favor, introduzca su edad: 34

¿Cuál es su salario mensual? 5000

Felicitaciones Smith, eres elegible para una hipoteca.

Ahora, intentemos cambiar el valor del bool a "Falso" y veamos qué pasa:

Comprobador de elegibilidad 101

Por favor, introduzca su nombre: Snow

Por favor, introduzca su edad: 30

¿Cuál es su salario mensual? 6000

Snow, parece que no puedes ser elegible en este momento

Esto sucedió porque la primera condición se cumple, pero la segunda no se cumplió.

Entonces, presentaste el programa y unos días después, el cliente regresa y dice: "Bueno, me gustaría que cambie el programa un poco. Esta vez, queremos que nuestros solicitantes tengan un buen salario o un buen crédito. ¡Cualquiera lo haría!"

Ahora, veamos el código de nuevo. ¿Cómo podemos hacerlo sin cambiar mucho? Ahí es donde entra el segundo operador lógico.

El operador 'or' se utiliza en aquellas situaciones en las que una u otra condición es verdadera, en cuyo caso el programa ejecutará el bloque de instrucciones 'if'. Probémoslo cambiando el 'and' por 'or' y manteniendo el valor de has_good_credit a false.

```
print("Comprobador de elegibilidad 101")

name = input("Por favor, introduzca su nombre: ")

age = int(input("Por favor, introduzca su edad: "))

salary = int(input("¿Cuál es tu salario mensual?"))

min_salary = 5000

has_good_credit = False

if salary >= min_salary or has_good_credit:

        print(f"Felicitaciones {nombre}, Usted es elegible para una
hipoteca.")

else:

        print(f"{nombre}, parece que no puede ser elegible en este
momento")
```

Salida:

Comprobador de elegibilidad 101

Por favor, introduzca su nombre: Nathan

Por favor, introduzca su edad: 28

¿Cuál es su salario mensual? 6000

Felicitaciones Nathan, eres elegible para una hipoteca.

Ahora, el código se ejecutó con éxito y le dio a Nathan las buenas noticias. Esto se debe a que el operador 'or' informó a Python, "¡Oye! si una de estas condiciones es aplicable, adelante!"

¡Mira! El mundo de los operadores lógicos. Hacen nuestras vidas mucho más fáciles, ¿no?

Por último, también tenemos un operador lógico más llamado operador "not". Esto es un poco difícil de entender, pero ten paciencia conmigo en esto.

Supongamos que el mismo cliente regresa y pregunta: "¡Oye! Buen trabajo, pero necesito otro cambio. Esta vez, quiero que codifiques tu programa para que sólo funcione si el solicitante tiene un buen salario y no un buen crédito".

Claro, y para hacer justamente eso, esto es lo que haremos:

```
print("Comprobador de elegibilidad 101")

name = input("Por favor, introduzca su nombre: ")

age = int(input("Por favor, introduzca su edad: "))

salary = int(input("¿Cuál es tu salario mensual?"))

min_salary = 5000
```

```
has_good_credit = False

if salary >= min_salary and not has_good_credit:

        print(f"Felicitaciones {nombre}, Usted es elegible para una
hipoteca.")

else:

        print(f"{nombre}, parece que no puede ser elegible en este
momento")
```

Lo que hace el operador "not" es cambiar el valor de la segunda variable de Verdadero a Falso, o de Falso a Verdadero. En este caso, como el solicitante no tiene historial de crédito, la condición encaja. El intérprete verá esto como "El solicitante tiene un salario mayor que el mínimo y no tiene un buen historial de crédito, lo cual es cierto, ¡entonces vamos con ello!"

El resultado será el siguiente:

Comprobador de elegibilidad 101

Por favor, introduzca su nombre: Nicole

Por favor, introduzca su edad: 29

¿Cuál es su salario mensual? 8000

Felicitaciones Nicole, eres elegible para una hipoteca.

Si cambiaras el valor de la mercancía a verdadero, Nicole se quedaría un poco triste.

Y con esto concluye nuestro viaje al mundo de los operadores. Vimos los tipos, y vimos sus usos también. Esto toma un poco de tiempo para ser entendido completamente, pero ten la seguridad de que son súper útiles. Continúa practicando estos códigos y usa tu propia imaginación para crear situaciones y escenarios en los que pueda usarlos de forma efectiva.

Capítulo 6. Listas, tuplas y diccionarios

Este capítulo no será exactamente tan largo. La mayoría de estos tendrá sentido ya que has llegado hasta aquí. Ya sabes cómo almacenar valores en las variables, pero cuando tienes más de un valor para almacenar, necesitarás algo más en que confiar.

Aquí es donde entran las listas, las tuplas y los diccionarios. Mientras que pueden parecer similares en naturaleza, son bastante diferentes. Vamos a examinarlos de cerca ahora, comenzando con las listas, para entender cómo funciona cada uno de ellos y, con suerte, saber cuándo usarlos.

Listas

Son exactamente como suenan y funcionan casi de la misma manera. Una lista, en Python, está representada por corchetes '[]'' y puede contener múltiples elementos dentro de ella. Puedes almacenar tantos elementos o valores como quieras dentro de una lista y recuperar cada componente fácilmente.

Veamos primero una simple lista para ver cómo funciona exactamente. Para ello, tenemos seis voluntarios imaginarios: Joey, Chandler, Ross, Phoebe, Rachel y Monica. Asumamos también que no tenemos ni idea de la conexión obvia con estos nombres. Es hora de crear nuestra primera lista:

friends = ["Joey", "Chandler", "Ross", "Phoebe", "Rachel", "Monica"]

Y tenemos nuestra lista creada. Ya que estamos usando valores de cadena, necesitaremos usar comillas para que Python sepa que son valores de cadena.

Supón que no sabe lo que hay en la lista. Ni siquiera sabes lo larga que es la lista. Nuestro objetivo es averiguarlo:

El número de componentes de esta lista

Valor de los componentes individuales

Para ello, primero tendremos que ver cuán larga es la lista, y podemos hacerlo usando la función *len()*. La función *len()* básicamente muestra la longitud de los caracteres, componentes o elementos dentro de una variable o una lista.

```
friends = ["Joey", "Chandler", "Ross", "Phoebe", "Rachel", "Monica"]

print(len(friends))
```

Salida:

6

Ahora, hemos obtenido una información. Pasando a la siguiente, averigüemos qué hay al principio de esta lista. Para ello, llamaremos al primer elemento, y aquí es donde entra el concepto de la posición del índice.

Un índice es la posición de un componente. Aquí, el primer componente es 'Joey' y para averiguarlo, haremos esto:

```
friends = ["Joey", "Chandler", "Ross", "Phoebe", "Rachel", "Monica"]

print(friends[0])
```

Aquí, usaremos los corchetes y usaremos el valor de cero. ¿Por qué cero y no uno? En Python, y en bastantes idiomas también, la primera posición es siempre un cero. Aquí, "friends[0]" esencialmente le dice al programa que imprima el componente con la primera posición del índice. La salida, obviamente, es:

Joey

Del mismo modo, ¡imprimamos el resto en consecuencia!

```
friends = ["Joey", "Chandler", "Ross", "Phoebe", "Rachel", "Monica"]
```

```
print(friends[0])

print(friends[1])

print(friends[2])

print(friends[3])

print(friends[4])

print(friends[5])
```

Salida:

Joey

Chandler

Ross

Phoebe

Rachel

Mónica

Hay otra manera de hacer esto. Supón que no conoces la longitud de la lista y desea imprimir la última entrada registrada de la misma, puede hacerlo mediante el siguiente método:

```
friends = ["Joey", "Chandler", "Ross", "Phoebe", "Rachel", "Monica"]

print(friends[-1])
```

Salida:

Mónica

El '-1' siempre te traerá la última entrada. Si usas "-2" en su lugar, se imprimirá la penúltima entrada como se muestra aquí:

friends = ["Joey", "Chandler", "Ross", "Phoebe", "Rachel", "Monica"]

print(friends[-2])

Salida:

Rachel

Hay otras variaciones involucradas aquí también. Puedes llamar a los artículos desde un punto de partida específico. Usando la misma lista anterior, asumamos que deseamos que el aviso imprima sólo las tres últimas entradas. Podemos hacerlo fácilmente usando el número de índice inicial del valor que deseamos imprimir. En este caso, sería el número de índice "3":

friends = ["Joey", "Chandler", "Ross", "Phoebe", "Rachel", "Monica"]

print(friends[3:])

Salida:

['Phoebe', 'Rachel', 'Monica']

También puede limitar aún más lo que desea ver en la pantalla estableciendo un rango de números de índice. El primer número, el que está antes de los dos puntos, representa el punto de partida. El número que se introduce después de los dos puntos es el punto final. En nuestra lista de amigos, tenemos un rango de cero a cinco, vamos a reducir un poco nuestros resultados:

```
friends = ["Joey", "Chandler", "Ross", "Phoebe", "Rachel", "Monica"]

print(friends[2:5])
```

Salida:

['Ross', 'Phoebe', 'Rachel']

Recuerda que el último número de índice no se imprimirá; de lo contrario, el resultado también habría mostrado la última entrada.

Puedes modificar los valores de una lista muy fácilmente. Supongamos que desea cambiar la entrada en el índice número cinco de la lista anterior, y desea cambiar la entrada de "Mónica" a "Geller", así es como lo haría:

```
friends = ["Joey", "Chandler", "Ross", "Phoebe", "Rachel", "Monica"]

friends[5] = "Geller"

print(friends)
```

Salida:

['Joey', 'Chandler', 'Ross', 'Phoebe', 'Rachel', 'Geller']

¡Es así de fácil! Puedes usar listas con bucles y declaraciones condicionales para iterar sobre elementos aleatorios y usar los que sean más adecuados para la situación. Practica un poco y pronto le cogerás el tranquillo.

¿Y si desea añadir números o valores a las listas existentes? ¿Tenemos que desplazarnos hasta arriba y seguir añadiendo números manualmente? ¡No! Hay cosas llamadas métodos, a las que puedes acceder en cualquier momento para realizar varias operaciones.

Aquí hay una captura de pantalla para mostrar cuántas opciones tienes disponibles una vez que presionas la tecla '.':

No hablaremos de todo esto, pero veremos brevemente algunos métodos básicos que todo programador debería conocer.

De inmediato, el método de "append" es lo que usamos para agregar valores. Simplemente escribe el nombre de la lista que deseas recordar, seguido de ".append" para que el programa sepa que desea agregar un valor. Escriba el valor y eso es todo!

El problema de usar el método del "append" es que añade el artículo al azar. ¿Qué pasa si desea añadir un valor a un número de índice específico? Para hacer eso, necesitarás usar el método de inserción.

Usando un método de inserción, tendrás que hacer esto:

numbers = [99, 123, 2313, 1, 1231411, 343, 435345]

numbers.insert(2, 999)

print(numbers)

Salida:

[99, 123, 999, 2313, 1, 1231411, 343, 435345]

84

El número fue añadido justo donde yo quería. Recuerda usar una posición de índice que sea válida. Si no estás seguro, usa la función *len()* para recordar cuántos componentes hay en una lista. Eso debería permitirte conocer las posiciones de índice disponibles.

También puede eliminar elementos de una lista. Simplemente utilice el método remove() e introduce el número/valor que desea eliminar. Tenga en cuenta que si su lista tiene más de un valor que es exactamente igual, este comando sólo eliminará la primera instancia.

Supongamos que se te presenta una lista de entradas mixtas. No hay ningún orden que sigan. Los números están en todas partes, sin tener en cuenta el orden. Si lo deseas, puedes ordenar toda la lista para que se vea más atractiva usando el método sort*()*.

numbers = [99, 123, 2313, 1, 1231411, 99, 435345]

numbers.sort()

print(numbers)

Salida:

[1, 99, 99, 123, 2313, 435345, 1231411]

También puedes tenerlo al revés usando el método reverse(). ¡Inténtalo!

Para vaciar completamente una lista, puedes usar el método clear(). Este método específico no requerirá que pase ningún argumento como parámetro. Hay otros métodos como pop() (que sólo quita el último elemento de la lista) con los que debe experimentar. No te preocupes, no hará que tu sistema se caiga o lo exponga a amenazas. El IDE es como una zona segura para que los programadores prueben varios métodos, programas y scripts. Siéntete libre y tranquilo al trazar nuevas rutas.

Tuplas

Por muy gracioso que sea el nombre, las tuplas se parecen mucho a las listas. La única gran diferencia es que se usan cuando no se desea que ciertos valores especializados cambien en absoluto a lo largo del programa. Una vez que se crea una tupla, no puede ser modificada o cambiada más adelante.

Las tuplas están representadas por paréntesis (). Si intentas acceder a los métodos, ya no tendrás acceso a los métodos que tenías cuando utilizabas las listas. Éstos son seguros y sólo se utilizan en situaciones en las que está seguro de que no desea cambiar, modificar, añadir o eliminar elementos. Normalmente, usaremos listas, pero es bueno saber que también tenemos una forma segura de hacer las cosas.

Diccionarios

A diferencia de las tuplas y las listas, los diccionarios son diferentes. Para empezar, trabajan con "pares de valores clave" lo que suena confuso, lo sé. Sin embargo, veamos qué es exactamente un diccionario y cómo podemos llamar, crear y modificar el mismo.

Para ayudarnos con la explicación, tenemos aquí a nuestro amigo imaginario llamado James que ha aceptado amablemente ofrecerse como voluntario para el ejercicio. Luego tomamos alguna información de él como su nombre, correo electrónico, edad, el coche que conduce, y terminamos con esta información:

Nombre - James

Edad - 58

Correo electrónico - james@domain.com

Coche - Tesla T1

Lo que tenemos aquí se llama pares de llaves. Para representar lo mismo dentro de un diccionario, todo lo que necesitamos es crear uno. ¿Cómo lo hacemos? Echemos un vistazo.

```
amigo = {

        "nombre": "James",

        "edad": 30,

        "Correo electrónico": "james@domain.com",

        "Coche": "Tesla T1"

}
```

Definimos un diccionario usando llaves. Añadimos cada par como se muestra arriba con dos puntos en el medio. Use una coma para separar los elementos entre sí. Ahora, tienes un diccionario llamado 'amigo' y puedes acceder a la información fácilmente.

Ahora, para llamar al correo electrónico, usaremos corchetes como se muestra aquí:

```
amigo = {

        "nombre": "James",

        "edad": 30,

        "correo electrónico": "james@domain.com",

        "coche": "Tesla T1"

}
print(amigo["correo electrónico"])
```

Salida:

james@domain.com

Del mismo modo, intenta recordar los otros elementos para probarlos tú mismo. Una vez más, les recuerdo que Python es sensible a las mayúsculas y minúsculas. Si recuerdas "edad" como "Edad", no funcionará en absoluto.

Supongamos que desea recordar un elemento sin conocer los pares de teclas de un diccionario. Si tecleas una tecla llamada 'dob', el programa te devolverá un error como este:

Rastreo (la última llamada más reciente):

 Archivo "C:/Usuarios/Programador/PycharmProjects/PFB/Lists2.py", línea 7, en <módulo>

```
        print(friend["dob"])
```

KeyError: "dob

Hay una forma de comprobar los valores sin que el programa te grite con fuentes rojas/rosadas. Usa el método *.get()* en su lugar y el programa simplemente dirá 'None', que representa la ausencia de valor.

También puede dar a cualquier par de claves, que puede no haber existido antes, un valor por defecto también.

```
amigo = {

        "nombre": "James",

        "edad": 30,

        "Correo electrónico": "james@domain.com",

        "Coche": "Tesla T1"

}
print(friend.get("dob", "1, 1, 1900"))
```


Salida:

1, 1, 1900

A diferencia de las tuplas, en realidad puedes añadir, modificar o cambiar valores dentro de un diccionario. Ya te he mostrado cómo hacerlo con las listas, pero sólo para demostrarlo, aquí tienes una forma de hacerlo.

amigo["edad"] = 60

print(amigo["edad"])

Salida:

60

Ahora, eso no fue tan malo, ¿verdad? Esto entonces termina nuestro viaje al mundo de las listas, tuplas y diccionarios. Es vital que preste mucha atención a estos ya que necesitará usar algunos de ellos, si no todos a la vez, más a menudo de lo que se imagina. Cuanto más practique y se familiarice con las listas, tuplas y diccionarios, más fácil será crear algunos programas increíbles y codificar en códigos eficientes al mismo tiempo.

Capítulo 7. Funciones

Comenzamos sin casi ningún conocimiento previo sobre Python, excepto por una pista de que era una especie de lenguaje de programación que está en gran demanda en estos días. Ahora, mírense; creando programas simples, ejecutando códigos y arreglando problemas de pequeña escala por su cuenta. ¡No está nada mal! Sin embargo, el aprendizaje siempre llega a un punto en el que las cosas se pueden poner más difíciles.

De manera similar, las funciones son cosas de aspecto dócil; las llamas cuando necesitas hacer algo. ¿Pero sabías que estas funciones tienen tanto que ver con la parte de atrás? Imagina cada función como un mini-programa. También está escrito por programadores como nosotros para llevar a cabo cosas específicas sin tener que escribir líneas y líneas de códigos. Sólo lo haces una vez, lo guardas como una función y luego sólo llamas a la función donde es aplicable o necesaria.

Ha llegado el momento de que nos sumerjamos en un complejo mundo de funciones en el que no sólo aprendemos a utilizarlas eficazmente, sino que también investigamos lo que hay detrás de estas funciones, y cómo podemos crear nuestra propia función personalizada. Esto será un poco desafiante, pero prometo que hay más referencias que disfrutarán para mantener el impulso.

Entender mejor las funciones

Las funciones son como contenedores que almacenan líneas y líneas de códigos dentro de sí mismos, al igual que una variable que contiene un valor específico. Hay dos tipos de funciones con las que tenemos que lidiar dentro de Python. Las primeras están incorporadas o predefinidas, las otras son funciones hechas a medida o creadas por el usuario.

De cualquier manera, cada función tiene una tarea específica que puede llevar a cabo. El código que se escribe antes de crear cualquier función es lo que le da a esa función una identidad y una tarea. Ahora, la función sabe lo que tiene que hacer cada vez que es llamada.

Cuando comenzamos nuestro viaje, escribimos "¡Lo logré!" en la consola como nuestro primer programa... También usamos nuestra primera función allí: la función print(). Las funciones se identifican generalmente con paréntesis que siguen al nombre de la función. Dentro de estos paréntesis, pasamos argumentos llamados parámetros. Algunas funciones aceptan un cierto tipo de paréntesis mientras que otras aceptan otros diferentes.

Miremos un poco más profundo y veamos cómo las funciones nos ayudan enormemente a reducir nuestro trabajo y a organizar mejor nuestros códigos. Imagina, tenemos un programa que se ejecuta durante una transmisión en vivo de un evento. El propósito del programa es proporcionar a nuestros usuarios un saludo personalizado. Imagina cuántas veces tendrías que escribir el mismo código una y otra vez si hubiera bastantes usuarios que decidieran unirse a tu transmisión. Con las funciones, puedes reducir tu propio trabajo fácilmente.

Para poder crear una función, primero tenemos que "definir" la misma. Ahí es donde aparece una palabra clave llamada 'def'. Cuando empiezas a escribir 'def' Python inmediatamente sabe que estás a punto de definir una función. Verás que el color de las tres letras cambia a naranja (si utilizas PyCharm como IDE). Esa es otra señal de confirmación de que Python sabe lo que estás a punto de hacer.

```
def di_hola():
```

Aquí, di_hola es el nombre con el que he decidido ir, puedes elegir el que prefieras. Recuerda, mantén tu nombre descriptivo para que sea comprensible y fácil de leer para cualquiera. Después de nombrar tu función, sigue con paréntesis. Por último, añade el viejo y amistoso dos puntos para que Python sepa que estamos a punto de añadir un bloque de código. Presiona enter para comenzar una nueva línea sangrada.

Ahora, imprimiremos dos declaraciones para cada usuario que se unirá a la corriente.

```
print("Hola!")
```

```
print('¡Bienvenido a mi transmisión en vivo!')
```

Después de esto, dale dos líneas de espacio para quitar esas líneas onduladas que aparecen en el momento en que empieza a escribir algo más. Ahora, para imprimir esto fácilmente, sólo llama a la función escribiendo su nombre y ejecuta el programa. En nuestro caso, sería:

di_hola()

Salida:

¡Hola!

¡Bienvenido a mi transmisión en vivo!

¿Ves lo fácil que esto puede funcionar para nosotros en el futuro? No tenemos que repetir esto una y otra vez. Hagamos esta función un poco más interesante dándole un parámetro. ¿Justo en la línea superior, donde dice "def di_hola()"? Añadamos un parámetro aquí. Escriba la palabra "nombre" como un parámetro dentro del paréntesis. Ahora, la palabra debería estar en gris para confirmar que Python ha entendido lo mismo como un parámetro.

Ahora, puedes usar esto a tu favor y personalizar aún más los saludos a algo como esto:

```python
def di_hola(nombre):

    print(f"Hola, {usuario}!")

    print('¡Bienvenido a mi transmisión en vivo!')


usuario = input("Por favor, introduzca su nombre para empezar: ")

di_hola(usuario)
```


La salida ahora preguntaría al usuario sobre su nombre. Esto se almacenará en una variable llamada usuario. Dado que se trata de un valor de cadena, di_hola() debería poder aceptarlo fácilmente. Al pasar 'usuario' como argumento, obtenemos esto como salida:

Por favor, introduzca su nombre para empezar: Johnny

¡Hola, Johnny!

¡Bienvenido a mi transmisión en vivo!

¡Eso está mejor! Personalizado a la perfección. Podemos añadir tantas líneas como queramos, la función seguirá actualizándose y proporcionará saludos a varios usuarios con diferentes nombres.

Puede que haya momentos en los que necesite algo más que el nombre de pila del usuario. Puede que también quieras preguntar por el apellido del usuario. Para añadirlo, añade esto a la primera línea y sigue lo mismo en consecuencia:

```python
def di_hola(nombre, apellido):

    print(f"Hola, {nombre} {apellido}!")

    print('¡Bienvenido a mi transmisión en vivo!')
```

```python
nombre = input("Introduzca su nombre: ")

apellido = input("Ingresa tu apellido: ")

di_hola(nombre, apellido)
```

Ahora, el programa comenzará preguntando al usuario su nombre, seguido del apellido. Una vez que esto esté ordenado, el programa proporcionará un saludo personalizado con el nombre y el apellido.

Sin embargo, estos son argumentos posicionales, lo que significa que cada valor que se introduce está en orden. Si cambias las posiciones de los nombres para John Doe, Doe se convertirá en el nombre y John se convertirá en el apellido. Puede que quieras ser un poco cuidadoso con eso.

Con suerte, ahora tienes una buena idea de lo que son las funciones y cómo puedes acceder a ellas y crearlas. Ahora, saltaremos a un frente más complejo de declaraciones de "retorno".

"¡Espera! ¿Hay más?" Podría haber explicado esto antes, pero entonces, cuando discutíamos las declaraciones, puede que no lo entendieras del todo. Ya que hemos cubierto todas las bases, es lo suficientemente apropiado para que veamos exactamente lo que son y cómo funcionan.

Declaración de devolución

Las declaraciones de retorno son útiles cuando se desea crear funciones cuyo único trabajo es devolver algunos valores. Estos pueden ser para los usuarios o para los programadores por igual. Es mucho más fácil si hacemos esto en lugar de hablar de teorías, así que saltemos a nuestro PyCharm y creemos otra función.

Comencemos definiendo una función llamada "cubo" que básicamente multiplicará el número por sí mismo tres veces. Sin embargo, como queremos que Python devuelva un valor, usaremos el siguiente código:

```
def cubo(number):

        return number* number * number
```

Al escribir 'return' estás informando a Python que deseas que te devuelva un valor que más tarde puede ser almacenado en una variable o utilizado en otro lugar. Es más o menos como la función input() donde un usuario introduce algo y nos lo devuelve.

```
def cubo(number):

        return number * number * number
```

```
number = int(input("Introducir el número: "))

print(cubo(number))
```

Adelante, prueba el código para ver cómo funciona. No es necesario que definamos funciones como estas. Puedes crear tus propias funciones complejas que convierten los kilos en libras, las millas en kilómetros, o incluso llevar a cabo trabajos mucho más grandes y complejos. El único límite es tu imaginación. Cuanto más practicas, más exploras.

Dicho esto, es hora de despedirse del mundo de las funciones y dirigirse a los territorios avanzados de Python. A estas alturas, ya tienes todo lo que necesitas saber para empezar a escribir tus propios códigos. Lo que aprendas en el próximo capítulo te ayudará a lograr una mayor comprensión y acceso a algunas cosas asombrosas que no son posibles de otra manera.

Capítulo 8. Clases y manejo de excepciones

De inmediato, por clases, no me refiero a las clases regulares que se esperan en las escuelas, colegios y universidades, ni tampoco quiero decir que haya cualidades de Python de ninguna manera; son cosas completamente diferentes.

Las clases no son exclusivas de Python, pero son tan importantes como cualquier otra cosa para cualquier programador del mundo. Se encuentran en casi todos los lenguajes de programación conocidos.

En la definición más simple, las clases son lo que usamos para definir los nuevos tipos de datos que utilizamos. Dije que había tres al principio, cadenas, números y booleanos. Luego nos encontramos con cosas un poco más complejas llamadas listas, tuplas y diccionarios. ¿Pero qué pasa si todavía no puedes obtener el resultado deseado del programa en el que has estado trabajando durante tanto tiempo? ¿Qué pasa si sientes que debe haber algo más aparte de estos tipos que pueda ayudarte a conseguir mayores resultados? Afortunadamente, las clases son tu respuesta.

Una clase puede tener varias funciones y métodos dentro de sí misma. No necesita paréntesis como funciones y métodos, ni los creamos usando la palabra clave "def". Estas se crean usando la palabra 'class' y pueden ser súper útiles, especialmente para los programadores con un gran interés en la programación orientada a objetos.

Creando nuestra primera clase

Antes de empezar a crear una clase, o función o cualquier otro tipo de componente, siempre visualiza lo que quieres obtener de él. Hace las cosas mucho más fáciles para ti como programador.

En este momento, puede que estés en blanco y que estés luchando por crear una clase. Déjame ayudarte con una. Vamos a crear una clase a la que queremos que se le asignen funciones y métodos específicos. Queremos que esta clase haga cosas que otros tipos de datos no pudieron hacer.

No voy a crear nada que pueda quedar fuera del alcance de este libro, así que lo que tengo aquí es algo que es fácilmente comprensible. Sin embargo, hay algunas cosas que pueden tomarte por sorpresa, pero son de naturaleza deliberada para que tengas todas las posibilidades de entender lo que son.

Instructor de la clase:

```python
def __init__(self, name):

    self.name = name


def talk (self):

    print("talk")


me = Instructor("Keanu Reeves")

print(me.name)

me.talk()
```

Lo primero que hay que notar es la convención de nombres que he usado para nombrar la clase. Siempre use una mayúscula para la primera letra de cada palabra que pueda escribir al nombrar una clase. Tampoco es necesario usar guiones bajos para separar las palabras. Si nombraras a esta clase como tu primera clase, se vería así:

clase MyFirstClass

A continuación, tenemos la conocida palabra clave "def". Pero, ¿qué hay de los dobles guiones bajos y el init? Puede que ya se hayan dado cuenta de esto cuando llamaron a los métodos. Estos se llaman constructores. Por ahora, todo lo que necesitas saber es que los llamamos para iniciar algo.

Entonces, tenemos un parámetro que dice "self" y yo no lo puse ahí. Es algo que aparecerá automáticamente. Básicamente se refiere a sí mismo. Sólo hemos añadido otro parámetro llamado "name" para permitirnos usar cadenas como nombres para mostrar. A continuación, le dimos al objeto un atributo llamado "name" como se vio anteriormente. Los atributos son necesarios para proporcionar a sus funciones un mayor detalle.

La siguiente función es bastante simple. Acabamos de crear una función llamada "talk" y le pedimos a Python que imprimiera lo mismo en el prompt.

Avanzando o bajando dos espacios, creamos una variable llamada "me" con un valor asignado de la clase que acabamos de crear. Fíjate en cómo he usado la clase como una función (con paréntesis). Se preguntarán que acabo de decir hace unos momentos que las clases no necesitan paréntesis, y sin embargo, los estoy usando aquí. Cuando estás definiendo clases, no los necesitas; sin embargo, cuando los estás usando, necesitarás confiar en ellos para pasar información adicional.

Ahora, con el comando de impresión listo, usé mi clase recién creada para invocar un atributo de '.name', que creé dentro de esta clase. Esto permite que el comando imprima el nombre, seguido de la última función, que era otra vez otra declaración de impresión como se definió anteriormente.

Las clases son generalmente creadas para que otros objetos puedan ser creados usando estas clases. Imagina dos personajes, Tony y Steve. Queremos que cada uno de ellos sea un objeto con diferentes atributos como el nombre, la edad y el color del traje. Para ello, primero tendremos que crear una clase. Sigamos adelante y hagámoslo.

Héroes de la clase:

```
    def __init__ (self, name, age, color):

        self.name = nombre

        self.age = edad

        self.color = color


    def introduce_self(self):
```

```python
        print("Mi nombre es " + self.name)

        print(f"Tengo unos {self.age} años ")

        print("El color de mi disfraz es " + self.color)



hero1 = Heroes("Steve", 40, "azul")

hero2 = Heroes("Tony", 38, "Rojo")



Hero1.introduce_self()

Hero 2.introduce_self().
```

Salida:

Mi nombre es Steve

Tengo unos 40 años

El color de mi traje es azul

Mi nombre es Tony

Tengo unos 38 años.

El color de mi traje es rojo

Empezamos nombrando nuestras clases, apropiadamente. Luego creamos un constructor para ayudarnos a crear varios atributos a los que podemos recurrir más tarde. Antes de hacerlo, asegúrate de que pasas esos parámetros después de "self" para que sean reconocibles por el intérprete del programa. Después de definir los atributos y asignarles valores, creamos una función llamada 'introduce_self' en la que hicimos imprimir tres declaraciones. Fíjate en cómo la segunda es una cadena formateada. Esto se debe a que la edad es un número entero, y no funcionará si intentas fusionar una cadena y un número entero por sí solos.

Una vez ordenados y felices, pasamos a crear objetos llamados "hero1" y "hero2" de la misma clase. Ahora, en lugar de escribir esta información por separado, sólo pasamos la información como argumentos en la clase 'Heroes()'. A continuación, ejecutamos una función que creamos anteriormente y el resto fue simplemente historia.

Sé que esto puede ser un poco complicado al principio. Las clases son una materia que normalmente es apta para estudiantes avanzados de Python, pero es esencial que tú, como programador, no dejes de pensar que lo sabes todo y te pierdas algunas de las oportunidades de aprendizaje más avanzadas. Las clases de maestría tomarán bastante tiempo. Un capítulo o incluso un libro podría no ser suficiente para darte el dominio perfecto de las clases y algunos otros aspectos de la programación. Mi intención era introducirte en este vasto mundo de temas avanzados. La forma en que practiquen e investiguen sobre ellos es absolutamente su decisión.

Manejo de excepciones

¿Qué son exactamente las excepciones? ¿Por qué no nos hemos encontrado con esto hasta ahora? Bueno, lo hemos hecho, o al menos puede que tengas mucho tiempo pero nunca lo habías notado antes. Crear cualquier programa para hacer que se estrelle deliberadamente. Aquí hay uno que he creado:

name = "Bruce Wayne"

age= 45

print(name + age)

Salida:

Traceback (la última llamada más reciente):

 Archivo "C:/Usuarios/Programador/PycharmProjects/PFB/excepción.py", línea 3, en <módulo>

```
print(name + age)
```

TypeError: can only concatenate str (not "int") to str

Process finished with exit code 1

¿Ves el error? No el del medio, en realidad me refiero a la última línea. Dice que el programa terminó con un código de salida seguido del número uno. Ese "uno" nos informa de que algo salió mal y el programa terminó en un choque o terminó abruptamente. Si el código fuera cero, significaría que nuestro código pasó y se ejecutó maravillosamente.

Nosotros, como programadores de Python, estamos obligados a saber cuando tales errores están a punto de llegar. Se llama anticiparse, y es algo que ya deberías haber hecho cuando dices las primeras tres líneas de mi último código.

El problema es que nosotros los programadores sabríamos lo que este código significa. Para cualquier usuario ordinario, no tendrían ni idea de lo que esto significa y terminarían buscando en las bibliotecas de YouTube, sólo para encontrar un vídeo que explique lo que significa el código de error 1. Hay una forma de abordar esta situación, y se llama manejo de excepciones.

Antes de empezar, recuerde el texto en negrita que dice "TypeError" en nuestro error que ocurrió hace un momento. Necesitaremos recordar eso un poco más tarde.

El manejo de excepciones es cuando le decimos a un programa que *pruebe* un bloque de código y vea si el mismo funciona bien. Si no, anticipa el tipo de error que obtendrás. *Salvo* que se muestre una consola iluminada con galimatías, le decimos a Python que imprima un texto fácil de usar que realmente signifique algo. No se preocupe por las palabras "pruebe" y "salvo" porque eso es exactamente lo que le mostraré ahora.

Inténtalo:

101

```
name= "Bruce Wayne:"

age = 45

print(name + age)
```
except TypeError:

```
print("Por favor, usa una cadena formateada o convierte la edad en una
cadena")
```

Acabamos de pedirle a Python que primero pruebe una situación. Si el código se ejecuta sin devolver ningún error, está bien. Si no, escribirá un mensaje amistoso para que los usuarios sepan qué hacer para evitarlo. Esto evitará que la aplicación se bloquee y mantendrá a los usuarios informados de los errores que puedan haber cometido. Ahora, intentemos y ejecutemos esto para ver qué obtenemos.

Por favor, usa una cadena formateada o convierte la edad en una cadena

Process finished with exit code 0

Desde que supimos que nos encontrábamos con un 'TypeError' acabamos de rectificar la situación y ahora mira; el programa terminó con un código de salida de cero. Yay!

¡Aquí hay algo que debes saber! La excepción que hemos creado aquí sólo se refiere a un tipo específico de error. Si este error fuera ValueError, el código no se ejecutará y el programa seguirá fallando.

Al igual que "elif" que usamos en el capítulo de la declaración "if", puedes añadir tantos códigos "except" como quieras para captar tales cuestiones y abordarlas en consecuencia.

Veamos cómo funciona eso también, ¿sí?

Inténtalo:

```
age = 45

age1 = 0

average = age / age1

print(averge)
```

except TypeError:

```
print("Por favor, usa una cadena formateada o convierte la edad en una
cadena")
```

¿Qué crees que pasará aquí? ¿Seguirá el programa? ¿Sería capaz este programa de captar la excepción que podría ser causada, en caso de que el programa decida colapsar? Averigüémoslo.

Traceback (la última llamada más reciente):

 Archivo "C:/Usuarios/Programador/PycharmProjects/PFB/excepción.py", línea 4, en <módulo>

```
promedio = edad / edad1
```

ZeroDivisionError: division by zero

Process finished with exit code 1

Eso era de esperar. Como la excepción causada aquí es diferente de la que hemos creado antes, simplemente pasó y se estrelló. Es hora de poner nuestros límites de pensamiento y pensar en una excepción para manejar esta situación.

Inténtalo:

```
age = 45

age1 = 0
```

```
        average = age / age1

        print(average)

except ZeroDivisionError:

        print("¡Por el amor de Dios! ¿Quién divide un número con un 0?")

except TypeError:

    print("Por favor, usa una cadena formateada o convierte la edad en una
cadena")
```

¿Qué piensas ahora? ¿Funcionará esto o aún así terminaremos con un
código de salida de 1?

¡Por el amor de Dios! ¿Quién divide un número con un 0?

Process finished with exit code 0

¡Y así es como se hace esto! Ahora, todo el mundo sabe lo que salió mal y
cómo pueden corregir el error que pueden haber causado
involuntariamente.

Es una especie de rasgo el tener que ser capaz de anticiparse a los errores
que se presenten de antemano. Viene con la práctica, pero es ciertamente
un rasgo que debe tener cualquier programador de cualquier rincón del
mundo.

Cuanto mejor manejes las excepciones, más fácil será para tus usuarios
encontrar el programa/aplicación a utilizar. Ellos sabrán lo que hay que
hacer, cómo resolver los asuntos, y cómo continuar teniendo una gran
experiencia mientras usan sus programas escritos.

Esto es casi todo lo que necesitaría saber sobre el manejo de excepciones.
Ahora, ya no estarás atado a los tontos errores que siguen apareciendo.
Bueno, al menos tus usuarios no tendrán que enfrentarse a ellos de todas

formas. Crea mensajes para tales excepciones que tengan un significado preciso y entrega información a los usuarios finales para que no tengan que depender de otra persona para averiguar lo que acaba de salir mal aquí. Para los programadores, también puedes añadir algunas notas dentro de tu código. Éstas no se ven como parte de un código cuando se están ejecutando. Se llaman comentarios y se representan con el signo #. Para darte un ejemplo, aquí hay uno:

Inténtalo:

```
age = 45

age1 = 0 #Cambiar esta edad por otra.

average = age / age1 #para averiguar la edad promedio

print(average)
```

except ZeroDivisionError:

```
print("¡Por el amor de Dios! ¿Quién divide un número con un 0?")
```

except TypeError:

```
print("Por favor, usa una cadena formateada o convierte la edad en una cadena")
```

Si ejecutas el programa, seguirá funcionando normalmente. Estas son notas que encontrará en bastantes programas, y puede que ya haya visto algunos. Es una buena idea usarlas si deseas compartir tu programa y código con otros programadores o usuarios.

Dicho esto, es hora de terminar con esto y pasar a nuestra última frontera. Te esperaré en el capítulo 9.

Capítulo 9. Herencia, módulos y paquetes

El viaje hasta ahora ha estado lleno de altibajos. Hubo cosas que puedes haber anticipado y luego hubo cosas que no anticiparon en absoluto. Has aprendido todo lo que un principiante debería saber, y de hecho hiciste un trabajo brillante realizando los ejercicios por tu cuenta, modificando ciertos aspectos para experimentar con PyCharm y Python, ¡bravo!

Asumo que lo hiciste, ¿verdad?

Hemos pasado el punto donde la mayoría de los principiantes terminan y hemos pasado a niveles avanzados de Python. Ya nos hemos encontrado con el confuso mundo de las clases y el manejo de excepciones. Después de tener un concepto tan vago de eso, es hora de que nos movamos a nuestra última frontera y veamos de qué se trata la herencia, los módulos y los paquetes, por qué los necesitamos y cómo podemos usarlos en Python para hacer nuestra programación más efectiva y fácil.

Herencia - ¡Casi como suena!

Sí, eso es cierto. De hecho son casi iguales en significado. La herencia no es más que un mecanismo para reutilizar el código una y otra vez.

"Umm... ¿No era eso funciones?"

Puede que quieras aferrarte a ese pensamiento por ahora. Una vez que se nos presente formalmente la herencia, la respuesta será lo suficientemente obvia como para ver en qué difiere de las funciones o métodos o bucles.

La herencia es una forma de evitar repetirse, escribiendo las mismas cosas una y otra vez. ¿Cómo? Supongamos que deseamos crear una clase llamada Cars. Le damos una función llamada speed, cuyo objetivo principal es imprimir la palabra "fast" en la consola.

En una situación de la vida real, no se tratará de una o dos líneas de códigos para definir una función. Estarás manejando múltiples líneas sólo para una función.

Ahora, deseamos crear otra clase llamada Bikes. También queremos darle la misma función de velocidad e imprimir el mismo mensaje diciendo lo mismo. Ahora, si reescribes el código, has fallado como programador. Como programador, es nuestro trabajo hacer las cosas más fáciles para nosotros. En lugar de repetir, simplemente heredamos esta función de la otra clase. Veamos cómo funciona esto.

```python
class Cars:

    def speed(self):

        print("Fast")

class Bikes:

    def speed(self):

        print("Fast")
```

Por supuesto, eso parece simple, pero imagina cuántas líneas tendrías que reescribir en una situación de la vida real. Esto plantea más problemas de los que podrías pensar. Imagina que tuvieras que copiar y pegar la misma línea de código para más de 20 clases que definiste más adelante en tu programa. Al final, descubres que tenías algunos valores equivocados al principio. Esto significa que el resto también tendrá que ser cambiado individualmente. ¿Por qué pasar por tanto trabajo? En lugar de eso, veamos cómo la herencia puede ayudarnos aquí.

Empezamos por crear primero una clase base. Ya que los coches y las bicicletas son medios de transporte, crearemos una clase llamada "Transport" para comenzar el proceso. Una vez hecho, simplemente movemos todo el bloque de código que nos interesa, justo dentro de esta nueva clase. Ahora debería verse así:

```python
class Transport:

    def speed(self):

        print("Fast")
```

Fácil, ¿verdad? Se hace mucho más fácil ahora. Para heredar estas cualidades, todo lo que necesitas hacer es esto:

```python
class Transport:

    def speed(self):

        print("Fast")

class Cars(Transport):


class bikes(Transport):

```

Pasando el nombre de la clase "Transport" entre paréntesis de las nuevas clases, le decimos a Python, "¡Oye! Heredarán las cualidades de su clase base." Pero, aquí hay un problema. Para mostrar el problema, es mejor mirar esta captura de pantalla.

¿Ves como en la línea 9 la letra c tiene una línea roja debajo? Esa es la forma de Python de decir que no está feliz con nosotros. Para evitar eso, todo lo que necesitamos es pasar una palabra llamada "pass" dentro de las subclases. De esta manera, Python sabe que no necesita preocuparse por nada dentro de las clases.

```python
class Transport:
```

```python
    def speed(self):

        print("Fast")


class Cars(Transport):

    pass


class Bikes(Transport):

    pass
```

Ahora, puedes crear fácilmente objetos como hicimos antes con nuestros dos héroes "Steve" y "Tony". También puedes recurrir a sus atributos específicos. Hasta ahora, sólo hemos establecido un atributo que es la velocidad.

```python
class Transport:

    def speed(self):

        print("Fast")


class Cars(Transports):

    pass


class Bikes(Transport):

    pass
```

```
ferrari = Cars()

ferrari.speed()

yamaha = Bikes()

yamaha.speed()
```

El resultado imprimirá la palabra "Fast" para ambos. Sin embargo, como las motos y los coches son dos cosas distintas, puedes añadir atributos exclusivos a cada uno. Tal vez el número de ruedas, la posición del motor, la capacidad de pasajeros, etc. Pero, para ello, tendrás que eliminar la palabra "pass", ya que no queremos que Python salte a través del bloque de código dentro de una clase específica. Diseñé algunos para lo anterior. Lamento que esto sea largo, pero he hecho todo lo posible para que sea lo más legible posible.

```
class Transport:

    def speed(self):

        print("It is really fast")

    def tyres (self, number):

        print(f"It has {number} tyres.")

    def engine(self, name):

        print(f"It has a massive {name} engine.")




class Cars(Transport):

    def make(self, name):

        print(f"It's a {nombre}")
```

```python
class Bikes(Transport):

    def wheelie(self):

        print("It can wheelie like crazy")




ferrari = Cars()

ferrari.make("Ferrari")

ferrari.engine("V12")

ferrari.tyres(4)

ferrari.speed()

yamaha = Bikes()

yamaha.engine("Twin-V")

yamaha.speed()

yamaha.tyres(2)

yamaha.wheelie()
```

Los resultados son bastante fáciles de entender. Pero, por el bien del conocimiento y la información, aquí están los resultados:

It's a Ferrari

It has a massive V12 engine.

It has 4 tyres.

It is really fast

It has a massive Twin-V engine.

It is really fast

It has 2 tyres.

It can wheelie like crazy

Así es como la herencia hace nuestras vidas mucho más fáciles. En lugar de escribir todos esos códigos, fuimos capaces de hacer esto fácil. Esta es la magia de la herencia. Recuerda esto, y ya no escribirás cientos de líneas de código una y otra vez.

Dicho esto, pasemos ahora a nuestros dos últimos componentes: módulos y paquetes.

Módulos y paquetes

No se alarmen por estas dos palabras. Son mucho más fáciles de entender de lo que parecen. Comenzaremos primero por echar un vistazo a lo que son los módulos y luego procederemos a los paquetes.

El módulo es esencialmente un archivo en el que hay algún código Python que ha sido escrito por ti o por alguien más. Normalmente usamos módulos para organizar nuestros códigos de forma organizada. Piensa en un supermercado con múltiples pasillos donde cada uno está etiquetado claramente para hacernos saber lo que podemos esperar dentro de estos pasillos.

Del mismo modo, los módulos son archivos que contienen códigos que realizan una tarea específica. Estos pueden ser guardados y luego importados a otros programas Python para su uso. Sí, has leído bien. Crea una buena función ahora y úsala para las eternidades venideras.

¿Y cómo funciona eso? Supongamos que tienes un simple convertidor de distancia. Este convertidor convierte kilómetros en millas y viceversa. Comencemos primero definiendo estas dos funciones:

```
def kms_to_miles(distance):

    return distance * 0.621
```

```
def miles_to_kms(distance):

    return distance * 1.609
```

Ahora que tenemos nuestras funciones, es hora de guardarlas en un archivo separado. Para ello, ve a la ventana del navegador de proyectos (la que está a la izquierda del área de escritura), haz clic con el botón derecho del ratón en el nombre del proyecto y elige nuevo>archivo. Nombra el archivo como distance_converter, o cualquier otro nombre que te guste y añade una extensión .py al final. Una vez hecho esto, se abrirá una nueva página en blanco. Simplemente corta todo el código del archivo anterior en esta y ya está.

Ahora, nuestro archivo principal está vacío. Es hora de "importar" estos convertidores dentro de nuestro archivo. Para hacerlo, todo lo que necesitas hacer es escribir lo siguiente:

```
import distance_converter
```

Tan pronto como presiones "enter", esto se oscurecerá. Eso está perfectamente bien. Ahora, los convertidores son importados y, por lo tanto, utilizables para nosotros dentro de este programa. Si no estás contento con el nombre, lo cual puede ser útil más adelante, siempre puede renombrarlos haciendo lo siguiente:

```
import distance_converter as converter
```

Esto importará el convertidor y le dará el nombre que acabas de asignar. Para probar, simplemente escribe el nombre que has elegido y pulsa la tecla '.' para acceder a las funciones disponibles. Ahora deberías poder ver las funciones kms_to_miles y miles_to_kms listas para usar.

```
import distance_converter as converter

print(converter.kms_to_miles(160))
```

Salida:

99.36

Y ahí lo tienes. El módulo funciona con elegancia, y fuiste capaz de convertir las figuras fácilmente.

A veces, es posible que no desees importar el módulo completo con todas las funciones. Es un posible escenario en el que puedes querer usar una función específica de dicho módulo y desear importar sólo eso. Tiene sentido, ¿verdad? Afortunadamente, eso también puede hacerse. Para ello, supongamos que sólo deseo importar la función miles_a_kms del módulo convertidor. Así es como puedo hacerlo:

from distance_converter import miles_to_kms

Ahora mismo, sabemos que sólo había dos funciones, pero ¿y si hubiera más de 10? Para comprobarlo, simplemente escribe los primeros bits, y justo después del espacio que sigue a la palabra "import" pulsa ctrl+espacio para acceder a la lista de funciones disponibles dentro del módulo. Elige la que te interesa

from distance_converter import miles_to_kms

print(miles_to_kms(100))

Salida:

160.9

Hagamos las cosas un poco diferentes aquí. Creemos primero una pequeña función cuyo trabajo es identificar el mayor número dentro de un conjunto de números aleatorios (como hicimos antes) y almacenarlo como un módulo separado. Luego llamaremos al mismo y le daremos una lista de números para identificar la entrada más grande e imprimirla en la consola.

```python
def high_number(numbers):
    max = numbers[0]
    for number in numbers:
        if number > max:
            max = number
    return max            #Necesitamos un valor de retorno
```

Guarda esto en un módulo separado llamado max_number.py y luego lo importas más tarde.

```python
from max_number import high_number


numbers = [879, 7564654, 65654, 654853, 6676]
max = high_number(numbers)
print(max)
```

Salida:

7564654

Veamos qué pasó aquí. Inicialmente definimos una función donde empezamos declarando una variable con un valor de numbers[0]. Luego inicializamos el bucle 'for' para iterar sobre los componentes individuales de la lista. El 'number' es una variable de bucle, seguida de la declaración 'if' que define qué condición debe cumplirse para que 'max' cambie de valor. Al final, le pedimos a Python que nos devolviera un valor. Simple, ¿verdad?

Luego lo importamos a nuestro nuevo archivo, le dimos un conjunto de números de lista. Aquí, declaramos una variable llamada max (ya que este programa nunca ha visto max antes), y le dimos un valor que será conducido a través de la función usando la lista de números. Finalmente, imprimimos el resultado que, en nuestro caso, era el número más grande de la lista.

Así es como usamos los módulos. Ahora, es el momento de la última parte del proceso de aprendizaje. Aquí es donde nos encontramos con los paquetes y averiguamos qué son.

Paquetes

Los módulos son archivos con códigos en ellos y de manera similar, los paquetes son directorios, o carpetas, que contienen múltiples archivos dentro de ellos. Usamos los paquetes para asegurarnos de que organizamos nuestros archivos de acuerdo a ello. Si creara cientos de archivos y una buena parte de ellos perteneciera a cálculos, puede crear un directorio de paquetes dentro de PyCharm y Python con un nombre apropiado y mover todos esos archivos dentro de esta nueva carpeta.

Para crear un archivo de paquete, haz clic con el botón derecho del ratón en el nombre del proyecto y elige Paquete Python. Instantáneamente, notarás que tiene un archivo especial dentro de él por defecto. Es el archivo __init__ que básicamente inicializa el paquete y permite a Python saber qué es.

Ahora, vamos a añadir un módulo a este paquete recién creado. Lo llamaremos "test1" y le daremos una función dentro de él. Recuerden, este archivo necesita ser creado en el nuevo paquete que hemos creado.

def test():

    print("Esto es sólo una prueba")

Le dimos esto como una función para el módulo. Ahora, busquemos en uno de nuestros viejos archivos dentro de la carpeta anterior. Si quieres, puedes crear un archivo vacío también. Ahora, ya que estamos en una carpeta diferente, y necesitamos importar esto, las cosas serán ligeramente diferentes. Si intentas usar el método anterior de "import test1", no funcionará ya que los directorios son diferentes. En su lugar, haremos esto:

```
import test.test1
```

Esto le permite a Python saber que está importando un módulo llamado test1 desde un paquete Python llamado test. Ahora, podrás usar la función fácilmente.

Hay demasiados paquetes y módulos disponibles en línea, directamente de sus fuentes, que pueden ser utilizados para mucho más de lo que te imaginas. Puedes navegar por Internet y encontrar los que se adapten mejor a tu tipo de programación. Sin embargo, los principios siguen siendo los mismos.

Ahora, hemos aprendido efectivamente todo lo que un principiante debe saber. Están listos para zarpar y buscar su verdadera vocación y crear programas listos para tomar el mundo por sorpresa. Todo lo que se necesita es práctica y paciencia.

Capítulo 10. ¡Tú siguiente paso del viaje!

¡Ahora mismo! Felicitaciones por haber llegado hasta aquí. Empezaste como alguien que no tenía ni idea de lo que era Python, de lo que se trataba, y probablemente tenías miedo de sumergirte en el mundo de la programación. Ahora, tienes todo lo que necesitas para crear una perfecta comprensión de las cosas. Ahora, deberías ser capaz de mirar el código y saber lo que está pasando.

El viaje se vuelve más y más sorprendente de aquí en adelante. Aunque es triste que no podamos continuar el viaje, al menos puedo estar seguro de que ya no estarán luchando con los conceptos y que podrán encontrar sentido a muchos códigos que encontrarán ahora.

Aquí hay una rápida mirada a algunas de las increíbles cosas que hemos aprendido hasta ahora.

¡Revisemos lo que hemos aprendido!

Descargamos e instalamos Python y PyCharm.

Creamos nuestro primer programa. Sí, fue simple pero fue emocionante!

Aprendimos acerca de los tipos de datos: cadenas, números y booleanos.

Aprendimos a crear variables y a recordarlas.

Visitamos a los operadores lógicos.

Las confusas declaraciones de "if" y "else".

Ciertamente no podemos olvidar los interminables bucles "for".

Los operadores, los tipos y sus usos.

Funciones - cómo nos permiten hacer mucho más.

Listas, tuplas y diccionarios, dónde y por qué usarlos.

Clases

Manejo de excepciones

Herencia

Módulos y paquetes

Eso es un gran logro para cualquier programador que comenzó con prácticamente nada en mente hace un tiempo. Ahora, tienes todas las herramientas y conocimientos necesarios para salir ahí fuera y hacer una programación seria.

Aunque el aprendizaje no se detiene nunca, se recomienda seguir practicando tanto como se pueda. He escrito un libro de trabajo para asegurarme de que mantengas tus conocimientos para un buen uso y sigas confiando en el uso de tu código siempre y cuando sea posible.

Hay cientos de campos que te esperan desde este punto. Estos incluyen fronteras de vanguardia como la inteligencia artificial, coches auto-conductores, aprendizaje de máquinas, hacking ético, desarrollo de sitios web, ciencia de los datos, la lista es interminable.

Recuerda

Hay algunas cosas que siempre debes recordar y de las que debes ser habitual cuando busques una carrera en programación.

Deberías ceñirte a la práctica del código limpio y escribir un código que sea fácil de entender y leer para cualquier programador. Cuanto más limpio organices tu código, mejor y más efectivo serás como programador. Recuerda usar módulos y paquetes para organizar mejor tus archivos y módulos. Nunca se sabe cuándo puedes volver a necesitarlos. Siempre es una buena idea que los códigos y funciones que escribiste se queden.

Puedes encontrar varios ejercicios en línea e incluso tener algunos estupendos tutoriales de lugares como Udemy y Coursera para afinar aún más tus conocimientos. Si estás atascado en una parte específica y no puedes entenderla, tómate un descanso y piénsalo bien. Lo más probable es que encuentres una solución por tu cuenta. Si no, Internet espera para responder a todas sus llamadas de auxilio.

El python es un lenguaje bien documentado. Hay muchas posibilidades de que puedas encontrar tus respuestas en los documentos proporcionados en el propio sitio web de Python. El Sr. Van Rossum ciertamente lo pensó bien. Utiliza estos documentos cuando sea posible y obtén más detalles sobre cosas que de otra manera podrían sonar confusas para ti.

Como programador, piensa fuera de la caja. Piensa en cómo puedes cambiar las cosas y hacerlas más simples. Toma ejemplos cotidianos en los que creas que puedes usar tus conocimientos para crear programas que puedan facilitar tu vida. Nunca se sabe, puede que te encuentres con un problema común y lo arregles; un buen pensamiento es todo lo que se interpone entre ser tú y ser el próximo gran nombre de la industria.

Dicho esto, me despido de todos ustedes y les deseo la mejor de las suertes. ¡Que su futuro sea tan brillante como el sol!

Referencias

Briggs, J, R. (2013): Python para niños. San Francisco, CA. No Starch Press

Matthes, E. (2016): Curso intensivo de Python. San Francisco, CA: No Starch Press

Payne, B. (2015): Enseñe a sus hijos a codificar. Sin prensa de almidón

Libro de Trabajo de Python

Aprende a programar rápida y eficazmente con ejercicios, proyectos y soluciones

Programming Languages Academy

Introducción

Este libro de trabajo ha sido creado con el propósito de practicar y permitir a los lectores del curso intensivo mejorar su conocimiento, comprensión y uso de Python como lenguaje de programación.Si ya has pasado por la "Programación Python para principiantes": La guía definitiva para principiantes para aprender los fundamentos de python en un gran curso intensivo lleno de nociones, consejos y trucos", entonces este libro está diseñado para ayudarte a practicar todo lo que has aprendido hasta ahora.

Manteniéndonos fieles a la naturaleza del libro anterior, buscaremos ejercicios divertidos, intuitivos y desafiantes. Estos pondrán a prueba su habilidad y conocimiento como programador y asegurarán que siempre estés preparado para abordar situaciones, preguntas y que seas capaz de identificar errores. Los ejercicios compilados aquí están tomados de varias fuentes, cuyos enlaces se proporcionarán al final del libro para su conveniencia. Si lo desea, puede visitar estos enlaces para realizar más ejercicios y probar sus habilidades de programación al máximo.

Un gran programador es aquel que practica constantemente sus habilidades de codificación, tiene la capacidad de resolver problemas técnicos y puede identificar el tipo de solución necesaria para resolver una situación. Nuestro objetivo con este libro está en línea con este concepto, por lo que se puede esperar varios tipos de ejercicios, proyectos y pruebas de los que aprender.

Para su conveniencia, todas las soluciones a las preguntas y problemas se proporcionan en el último capítulo. Consulta éstas cuando sientas que no puedes resolver el problema por ti mismo. También puedes consultar el primer libro de vez en cuando para refrescar tus conceptos y aclarar aún más cualquier ambigüedad que puedas tener durante el proceso de aprendizaje y aplicación de Python como lenguaje de programación.

No hay nada malo en admitir la derrota. Les aseguro que he estado allí miles de veces. Si un ejercicio o una pregunta parece demasiado, recuerda tomártelo de poco a poco. Cuanto mejor sea tu estado mental, más claras serán las cosas para ti.

¿Por qué necesito ejercicios y proyectos?

Pregúntale a cualquier programador de éxito en el mundo, y te confirmarán lo mismo: la práctica hace a un programador perfecto. Al principio, puede que hayas tenido problemas para usar PyCharm para escribir tu código. Eventualmente, con un poco de práctica, tu ritmo comenzó a aumentar. Esto se debe a que ahora te has adaptado al IDE y al entorno general y a la sensación de Python. Cuanto más afines sean tus habilidades, más fluidamente escribirás tus programas.

Estos ejercicios están diseñados para asegurar que siempre tengas algo con lo que practicar. Una vez que termines de practicar los ejercicios como se muestran aquí, modifícalos a voluntad para crear más programas complejos por tu cuenta. Es una forma perfecta de pasar a los niveles intermedio y avanzado de ser un programador. Cada programador pasa por miles de estos proyectos en miniatura para obtener un perfecto dominio de cualquier lenguaje. Mientras que Python es comparativamente más fácil de entender, no subestimes el lenguaje. Se puede poner difícil bastante rápido, y con un pobre conocimiento, podrías terminar yendo en círculos.

El libro anterior ha enseñado muchas cosas. Me he asegurado de crear pruebas, ejercicios y preguntas para poner a prueba todos y cada uno de esos conocimientos. De esta manera, no sólo puedes recordar lo que aprendiste, sino que también puedes ver el código en acción aplicando las soluciones que crees que son correctas. No pretendo ser el mejor programador, ni estoy ni mucho menos cerca de serlo, pero lo que sí puedo garantizar es que estos ejercicios te mantendrán alerta y te acercarán un paso más a convertirte en un gran programador.

Los proyectos están diseñados para su exploración independiente. Tienes todo el internet para ayudarte con inspiración e ideas. Utiliza el conocimiento que reuniste en el libro anterior y la experiencia que ganarás aquí para crear programas más complejos e interactivos que puedas escribir para los proyectos que he elegido para ti. Estos son proyectos que pueden abrirse camino en el mercado también, si piensas fuera de la caja y aplicas una lógica y un conocimiento un poco más avanzado. Nada es imposible, y la programación no es diferente.

¿Cuánto tiempo debería dedicarle?

Aunque no hay límites específicos que me gustaría establecer aquí, me gustaría, sin embargo, recomendar que se exprima alrededor de una hora al día, si no más, para practicar estos ejercicios. Algunos de ellos pueden ser bastante fáciles al principio, pero el propósito de tales preguntas o ejercicios no es probar tu conocimiento solo; es empujarte más para que hagas un uso práctico del conocimiento.

Permíteme también aclarar que por una hora al día, no quiero decir que pases 60 minutos de tu tiempo paseándote sólo por estos ejercicios. Copien estos ejercicios en su IDE y trabajen con ellos. Al final del libro, deberían tener suficiente exposición a Python para que puedan desarrollar su propio código analizando primero la situación, anotando aproximadamente la lógica que les ayudaría y luego escribiendo el propio código.

Una vez que adquieras el hábito de escribir códigos diariamente, progresarás a un ritmo fenomenal y esperamos que en poco tiempo te conviertas en un programador de pleno.

Dicho esto, es hora de que comencemos la segunda fase del viaje. Aquí es donde averiguamos cuánto has aprendido hasta ahora y si has captado correctamente los conceptos para resolver algunos asuntos complejos y responder a preguntas basadas en los tecnicismos de Python.

Un consejo: Mantén tu PyCharm abierto mientras lees el libro para realizar los ejercicios a medida que avanzamos. No saltes al último capítulo sólo porque el problema parezca imposible de resolver. Tómate tu tiempo y analiza la situación cuidadosamente. ¡La respuesta es mucho más obvia de lo que crees!

Capítulo 1. Tiempo de calentamiento

Bueno, antes que nada, mis más sinceras felicitaciones por haber tomado este libro. Si ya has completado el libro anterior, donde expliqué la programación en Python, duplica los deseos para ti. El viaje a Python es, en efecto, uno que está plagado de líneas y líneas de códigos, esperando ser explorado, entendido y ejecutado correctamente.

Hemos repasado varios capítulos del libro anterior y hemos descubierto mucho sobre Python, empezando por su historia, hasta la interpretación moderna de la automatización, la inteligencia artificial y cómo las cosas tan avanzadas utilizan Python.

Revisamos aspectos individuales del lenguaje, como la sintaxis, las variables, los tipos de datos, los bucles y las funciones, para contar algunos. Todo eso está bien, pero el problema es que todavía no sabemos si estamos preparados para tomar cursos más avanzados y aprender cosas mucho más allá del alcance del libro anterior.

Afortunadamente, ya he pensado en ello, por lo que le proporcionaré varios métodos para perfeccionar sus habilidades. Estoy ansioso por empezar, ¿no es así? Entonces vamos a sumergirnos en los ejercicios de inmediato y averiguar dónde estamos parados.

Las soluciones a todos los ejercicios y preguntas están en el último capítulo. Sólo consúltelas cuando haya intentado todo lo posible por encontrar la respuesta y de alguna manera no lo haya logrado.

¡Mar de preguntas!

Estas preguntas, aunque suenen fáciles, están diseñadas para revisar algunos elementos básicos de Python. Algunos de ellos pueden tener opciones, mientras que otros no. No te dejes intimidar por estas preguntas. Intenta responder a tantas de ellas como sea posible.

P-1: De las opciones que se dan a continuación, identifique cuál de ellas está escrita en Python.

Código 1:

```
using system;
var username = console.readline("Por favor, introduzca su nombre: ");
console.write("Hola" + username);
```

Código 2:

```
<html>
   <head>
      <title>"¿Por qué escribir Python?"</title>
   </head>
   <body>
      <p>
         print("Hola mundo!")
      </p>
   </body>
</html>
```

Código 3:

```
import turtle
def my_function(name):
   print(f"Hola {name}")
my_function("Sam")
```

Código 4:

```
var name = "Mr. Marvel";

console.log("Mi nombre es " + nombre);
```

Estoy seguro de que ves algunas cosas familiares aquí. Tómate tu tiempo y analiza cada una de ellas de cerca. La respuesta está justo ahí, ¡todo lo que necesita es un ojo agudo para distinguirla! Es bastante interesante ver que la mayoría de estos parecen estar usando una configuración familiar. Toma tiempo para que uno esté completamente familiarizado con la sintaxis, pero una vez que se estás familiarizado, no deberías tener problemas para entender esto.

Visita cualquiera de los viejos ejercicios que hicimos en el libro anterior. Intenta hacer coincidir la forma en que el código fue escrito con los presentados aquí. ¡Deberías tener tu respuesta en breve!

Pasando a nuestra siguiente pregunta, prometo que serán más preguntas y menos de mi parte, pero necesito asegurarme de que proporciono algunas explicaciones necesarias para ayudar a aquellos que pueden haber recogido el libro después de un tiempo, sólo para refrescar sus conceptos.

Comencemos ahora con una serie de preguntas para comprobar su comprensión.

P-2: ¿Cómo puedes comprobar si tienes Python 3.8.x instalado en tu sistema?

A. Comprueba si tienes PyCharm instalado en tu sistema. Si es así, tienes la última versión de Python instalada.

B. Ejecuta el comando *python --versión* en PyCharm para comprobar la versión.

C. Ejecute el comando *python* en la línea de comandos de Windows para comprobar la versión. Ejecute *python -v* en Mac y *python3* en Linux para obtener la versión.

D. Visita la página web de Python para ver si puede identificar tu versión de Python.

P-3: ¿Cómo se llama así el idioma?

    A. El circo volante de Monty Python

    B. El reptil Pitón

    C. Para honrar a una especie en peligro de extinción de Pitón

    D. Sólo un nombre al azar que se ha puesto de moda

P-4: ¿Cómo termina cada línea en Python?

    A. Con dos puntos ":" .

    B. Con un punto y coma ";" .

    C. Con un punto "." .

    D. Ninguno de los anteriores

    E.

P-5: ¿Qué significa el acrónimo IDE?

    A. Día Internacional de la Electrónica

    B. Entorno en desarrollo integrado

    C. Entorno de desarrollador integrado

    D. Ingeniería de desarrollo integrado

P-6: ¿Cómo se representa una cadena en Python?

    A. Con una sola comilla ''.

    B. Con una doble comilla ""

    C. Con cualquiera de los anteriores.

    D. Ninguna de las anteriores.

Q-7: ¿Qué es una variable?

A. Es una función en Python.

B. Es un método en Python.

C. Es un contenedor creado por el usuario que contiene valores inmutables.

D. Es un contenedor creado por el usuario que contiene valores que pueden ser modificados.

Q-8: ¿Cómo imprimirías una cadena que diga "¡Sí!"?

A. print("Él dijo, "¡Sí!")

B. print(f"Él dijo, "¡Sí!")

C. print('Él dijo, "¡Sí!"')

D. print(¡Dijo que sí!)

Q-9: Ejecutando el código como se muestra, ¿cuál será la salida?

num = '5' * '5'

print(num)

A. 25

B. 5, 5, 5, 5, 5

C. '5' * '5'

D. TypeError: No se puede multiplicar la secuencia por un no-int de tipo 'str'.

P-10: Si ejecutas un código que termina con un error, hará que PyCharm se bloquee.

A. Verdadero

B. Falso

C. Depende del tipo de código escrito

D. Ninguno de los anteriores

Q-11: ¿Cuál es el método correcto para establecer el valor de un bool 'is_married'?

A. "Verdadero"

B. Verdadero

C. "Verdadero

D. verdadero

Q-12: ¿Cuál de las siguientes es una cadena formateada?

Código 1:

name = "Jiovanni"

age = 41

print("Hola, soy name y tengo age años")

Código 2:

name = "Jiovanni"

age= 41

print(f"Hola, soy {name} y tengo {age} años")

Código 3:

name = "Jiovanni"

age = 41

print("Hola, soy " + name + " y tengo " + age + " años")

Código 4:

name = "Jiovanni"

age = 41

```
print("Hola, soy [name] y tengo [age] años")
```

P-13: Para nombrar una variable llamada first name, ¿qué método es el correcto? Puedes elegir más de una respuesta a la siguiente pregunta.

    A. firstname

    B. FirstName

    C. first.name

    D. first_name

Q-14: Elija una o más respuestas que se apliquen. La práctica del código limpio es:

    A. Para mantener nuestras estaciones de trabajo limpias.

    B. Para nombrar nuestras variables y funciones apropiadamente.

    C. Para mejorar la legibilidad.

    D. Para asegurarse de que el código no infrinja ninguna ley.

Q-15: ¿Cuál de las siguientes es la forma correcta de crear una variable llamada "test":

    A. def test():

    B. test.create

    C. test = ""

    D. print(test)

Q-16: ¿Qué es una concatenación de cadenas?

    A. Para fusionar dos o más cadenas en un nuevo objeto de cadena

    B. Para separar dos cadenas

    C. Para convertir un entero en una cadena

D. Ninguno de los anteriores

Q-17: Elija la(s) respuesta(s) correcta(s). Python es:

A. El sucesor del lenguaje ABC

B. Sólo operable a través del IDE de PyCharm

C. Se utiliza para la automatización y el aprendizaje automático

D. Todo lo anterior

Q-18: ¿Qué es OOP?

A. Python orientado a objetos

B. PyCharm orientado a objetos

C. Programación orientada a objetos

D. Sólo en Python

Q-19: ¿Cómo se puede adquirir la entrada del usuario y almacenarla en una variable llamada ingreso, para propósitos de cálculo?

A. ingresos = bool("Ingrese sus ingresos:")

B. ingreso = int("Ingrese sus ingreso:")

C. ingreso = input("Ingrese sus ingreso:")

D. ingreso = int(input("Ingrese sus ingreso:")

Q-20: ¿Cuál de estos es/son verdaderos con respecto a Python?

A. Hay dos tipos de datos.

B. Las variables pueden ser llamadas, modificadas o eliminadas.

C. Python puede funcionar sin PyCharm.

D. El python es un lenguaje que distingue entre mayúsculas y minúsculas.

Eso fue un poco de calentamiento, ¿no? Acabamos de empezar. Puede comprobar cuántas preguntas ha acertado refiriéndose al último capítulo y viendo su posición. Estas 20 preguntas fueron al azar, y la mayoría de ellas no implicaban muchos tecnicismos.

Reflexionemos sobre su posición como principiante:

Si lo lograste:

20 - ¡Bravo! Has respondido a cada una de estas brillantemente. Eso demuestra que estabas prestando mucha atención al libro y a las preguntas de arriba. Este es exactamente el tipo de resultado que deberías esperar si conoces lo básico.

15 - 19 - Tan cerca de la perfección, pero no dejes que eso te haga caer. Hiciste un trabajo fabuloso al responder estas preguntas. Sólo repasa las que te equivocaste, y pronto deberías estar puliendo tus habilidades para salir adelante con los mejores resultados.

10 - 14 - Hay espacio para mejorar. Has respondido bastante bien a algunas de estas preguntas, pero te has perdido algunos temas críticos. Es mejor volver a revisar el libro y centrarse únicamente en aquellos en los que te equivocaste. Vuelve a los conceptos que te perdiste y trata de entender cómo se aplicó el conocimiento aquí.

Por debajo de 10 - No tengo otra forma de decirlo que decir que necesitas trabajar en tus habilidades. Es muy probable que te hayas distraído durante la prueba o cuando estabas leyendo el libro. No te decepciones, sin embargo, el fracaso es una parte de la curva de aprendizaje. Mientras tengas la voluntad de aprender y la pasión por seguir, pronto entenderás los problemas y estarás escribiendo tus programas como cualquier otra persona.

No puedo enfatizar lo suficiente que sólo a través de la práctica podrás convertirte en el tipo de programador que quieres ser algún día. Sólo repasar el libro y responder bien a cada pregunta, sólo para dejar de practicar justo después, no te servirá para ningún propósito o ventaja.

Hay algunas cosas que siempre debes recordar como programador:

- Los lenguajes de programación se actualizan constantemente. Si estás fuera de acción por un tiempo, pronto te aferrarás a conocimientos obsoletos.

- Eres tan bueno como tus habilidades de codificación. Cualquiera que sea mejor te reemplazará al instante.

- La precisión y la velocidad de la codificación diferenciarán entre un buen programador y un programador que lucha, aunque este último lo sepa todo.

Asegúrate de revisar el sitio web oficial de Python para cualquier actualización que pueda llegar en el futuro. Actualmente, estos códigos fueron desarrollados usando Python 3.8.0, y puede que ya hayan sido actualizados para cuando leas este libro. Mantente siempre al día con la última versión de Python y PyCharm.

Ahora que nos hemos estirado un poco, es hora de sumergirnos en algunos tecnicismos y en el mundo de Python.

¿Esto es correcto? - Parte 1

Esta sección pondrá a prueba tus habilidades para entender el escenario e identificar si el código funcionará o si necesita ser modificado. Te presentaré varios escenarios en cada capítulo. Crecerán en complejidad y longitud, por lo que es imprescindible que leas cada una de las líneas correctamente. Intenta no copiar y pegar el código antes de haber llegado a una conclusión sobre la capacidad del programa para funcionar o fallar. Deja que tu cerebro haga el trabajo primero. Entrénate a ti mismo y a tu mente para pensar, analizar y resolver problemas de manera eficiente y efectiva. Confiar demasiado en el IDE nunca te permitirá explorar tu talento potencial y tus habilidades de resolución de problemas verdaderamente

Q-1: El programa que se muestra a continuación fue creado para mostrar una cadena concatenada. ¿Crees que lo siguiente funcionará? ¿Esto

entregará la salida requerida de "Esto será añadido con esto" o producirá una salida completamente diferente? Si es así, ¿por qué?

string1 = "Esto será añadido"

string2 = "Con esto!"

print("cadena1 + cadena2")

P-2: El siguiente es un programa, escrito por un programador experto para un negocio local llamado "Pete's Garage", que debería proporcionar al negocio una forma más fiable de tratar las cosas. El programa está escrito como se muestra a continuación:

print('Bienvenido a Pete's Garage')

name = input('Por favor, introduzca su nombre: ')

número_de_trabajo = int(input('Por favor, introduzca su número de trabajo: '))

costo_de_reparación = 100

descuento = 15

total = coste_de_reparación - descuento

print("{name}, el total de {número_de_trabajo} es ${total}")

print('Gracias por tu negocio')

¿Funcionará este programa? Si no, ¿puede identificar el error que podría causar que este programa se bloquee o deje de responder?

P-3: Un estudiante universitario decidió armar un programa que permitirá a los potenciales estudiantes en línea del extranjero llenar el formulario y buscar más información sobre los cursos que les interesan. El formulario se ve así:

#Formulario de registro en línea

```python
print("Bienvenido a la universidad ABC!")

print("Por favor, introduzca la información necesaria para comenzar")

s_f_n = input("Introduzca su nombre: ")

phone = int(input("Introduce tu número de teléfono: ")

em = "Introduce tu correo electrónico: "

crs = "Elija su curso:
```

El estudiante le ha pedido que revise el programa y que averigüe si hay algún problema que deba ser abordado. Averigua qué es lo que está mal con el código y corrige los problemas.

P-4: Un estudiante ha creado un programa para una página de acceso en una biblioteca para el nuevo grupo de usuarios que se acaba de unir. Después de una breve introducción, se pide a todos los usuarios que creen sus pares de nombre de usuario y contraseña. Después de que los usuarios hayan introducido sus contraseñas, cada contraseña es comparada para asegurar que coinciden. El programa se ve así:

```python
username = input("Nombre de usuario: ")

password = input("Contraseña: ")

print("has introducido lo siguiente:")

print(username.lower())

print({password.lower()}))

print(password==password.lower)
```

¿Cuál parece ser el problema aquí? ¿Por qué crees que el código no funcionará? ¿Qué se puede hacer para asegurar que el programa empiece a funcionar?

P-5: Se le pidió a un programador, con experiencia y conocimientos intermedios, que escribiera un programa que imprimiera valores booleanos para cada grado que un estudiante adquiriera. Para los grados de A a B, el mensaje era imprimir Verdadero, mientras que otros serían considerados Falsos. Echa un vistazo a este código y mira si esto funcionará:

```
grades = ["A", "A", "B", "U", "F", "E", "D"]

for la X in grades:

    if x == A o x == B:

      x = True

      if x == True:

          print("Pass")

    Else:

      x = Falso

      print("Fail")
```

El estudiante ha afirmado que el código funcionó excepcionalmente. Ahora depende de ustedes analizar el código sin probarlo primero para dar sus primeras impresiones.

Bono: Intenta modificar el mismo código con tus propios valores y piensa en algo aún mejor para practicar.

Q-6: Una cadena llamada initial_message contiene el siguiente mensaje:

"Hola, acabo de participar en el curso. Espero que algún día sea programador. "

Sin las comillas, se le pidió a un programador que averiguara la longitud de la cuerda. Para ello utilizó el siguiente método:

String.length(initial_message)

¿Es este el método correcto para comprobar la longitud de una cadena? Si no, ¿cuál es el método correcto aplicable aquí?

Una vez que terminen estos ejercicios, creo que estarán en una mejor posición para entender y analizar su comprensión de los tipos de datos básicos, la sintaxis y la forma en que funcionan las variables. Añadí algunas situaciones que no trataban exactamente con tipos de datos y variables; sin embargo, espero que tales preguntas y problemas surjan también en el futuro. Ahora, debería cotejar sus respuestas con el último capítulo para averiguar cuánto pudo obtener y si las resolvió correctamente.

Para aquellos que han logrado obtener más del 70%, ¡buen trabajo! Para aquellos que están luchando, les recomiendo que revisen el primer libro y vuelvan a revisar los tipos de datos, variables y métodos de entrada para refrescar lo que puedan haber olvidado. Una vez más, no hay que avergonzarse de no haber sido capaz de comprender el concepto la primera vez.

La programación lleva tiempo y a veces, incluso los mejores programadores pasan días tratando de averiguar qué es lo que está causando que su programa se caiga, sólo para descubrir que pueden haber perdido una sola comilla, una coma, o escrito mal una variable o una función. Este es realmente el caso y ocurre casi todos los días.

Es con la introducción de PyCharm que nuestras vidas se han hecho mucho más fáciles. Imagina tener que escribir programas enteros, de hasta 1000 líneas, en un bloc de notas, que ni siquiera tiene la capacidad de comprobar la ortografía, y mucho menos identificar errores para cualquier idioma después de escribir.

Utiliza el poder de IntelliSense, una tecnología usada dentro de PyCharm, que nos permite completar nuestros códigos con el click de un botón. Aunque eso ahorra tiempo, te recomiendo que escribas el código completo. Si tienes el hábito de usar IntelliSense de PyCharm, puede que te encuentres con dificultades si te unes a una empresa que se basa en el IDE de código VS de Microsoft. Siempre es mejor escribir los códigos completamente y corregirlos cuando sea posible antes de decidir ejecutarlos.

Ahora, pasaremos a nuestro segundo capítulo. Hemos revisado y repasado los conceptos y principios más básicos de Python en este capítulo. Es hora de dar el siguiente paso y empezar a practicar con las entradas del usuario, almacenando valores y recordándolos. También buscaremos información que coincida, y por último, nos encontraremos con el primer proyecto que yo recomendaría a cada lector que revise y complete por su cuenta.

Todos los proyectos del libro no tienen soluciones definitivas. Aplica el conocimiento que has adquirido hasta ahora para añadir a estos proyectos y hacerlos más complejos e interactivos.

Capítulo 2. Registro de la información

Los programadores y sus programas no pueden existir sin información. Cuando digo información, me refiero a todo lo que tiene que ver con los datos que se utilizan para la entrada, los cálculos, las predicciones, la toma de decisiones y la eventual salida. Obtener la información correcta pero almacenarla en la variable equivocada o tenerla atada con elementos que simplemente no se pertenecen entre sí puede causar confusión, y a veces, problemas masivos.

Como programador, necesitamos asegurarnos de que sabemos el tipo de información que necesitamos para que un programa específico funcione con éxito. Tenemos que asegurarnos y comprobar que la información se almacena en consecuencia y sólo se llama, se modifica o se utiliza cuando la situación lo requiere.

Hemos cubierto un buen número de ejemplos en el libro anterior, pero aquí, vamos a pasar por ciertos escenarios que pondrán a prueba aún más sus habilidades y su pensamiento crítico. Lee los códigos a fondo, y deberías ser capaz de resolverlos con facilidad.

Almacenamiento/Recuperación de información

Aunque esta sección hablará principalmente de los aspectos de la información en sí misma, también nos aseguraremos de mantener nuestra práctica de código limpio para ayudar a los programadores a entender mejor el programa en sí mismo. Espera algunos temas en los que el programa podría ser correcto, pero a la hora de nombrar podría serte de ayuda. En situaciones de la vida real, a menudo te encontrarás con tales problemas y, por lo tanto, necesitaría volver a poner los nombres para hacer el programa más significativo y mejorar la legibilidad general del código. Dicho esto, ¡comencemos!

Tarea 1: Un streamer de YouTube decidió realizar una encuesta en la que se pidió a los usuarios que dieran su opinión sobre lo que les gustaría ver en la siguiente transmisión. Su trabajo es crear un programa que utilice la siguiente información e imprima el resultado de lo que el usuario eligió, junto con un mensaje de agradecimiento.

¿Qué debería transmitir?

a) **Days Gone**
b) **Resident Evil 2**
c) **Fortnite**
d) **Apex Legends**
e) **Death Stranding**
f) **¡Sorpréndenos!**

El mensaje final debería ser:

Ha elegido (opción). ¡Aprecio su tiempo y espero verle en la próxima!

El ejercicio es bastante simple. La mayoría de ellos requerirá que imprima la información y que luego almacene el valor de entrada del usuario. Diseña el programa de manera que sea capaz de entender qué es la "a" o la "b" o cualquier carácter que el usuario elija, y luego imprime lo mismo en los saludos finales. No tienes que preocuparte por imprimir el nombre al final. Sólo la letra de la selección servirá por ahora.

Recuerda, la naturaleza del programa, sensible a las mayúsculas y minúsculas, aún nos persigue. Utiliza métodos como *.lower()* para asegurarte de que se ajusta a nuestros requerimientos. En el último capítulo proporcionaré mi versión del programa como solución. Por ahora, sigue pensando, sigue codificando.

Sugerencia: Aunque puedes usar una declaración de "if", recomendaría evitar eso por ahora. Intenta pensar en medios más básicos para almacenar y recordar valores. Esto se puede hacer fácilmente sin el uso de la lógica y las declaraciones "if/else". Revisaremos este ejercicio en el futuro para hacerlo un poco más complejo y atractivo al mismo tiempo.

Tarea 2: Un dentista desea que se cree un programa para su sitio web donde se le presenten múltiples servicios a los clientes. El cliente elegirá la opción y se le presentará un total por el servicio que debe pagar el cliente. Los servicios se dan como se muestra a continuación:

a) Terapia de canal de raíz - $250
b) Chequeo de higiene oral - $50
c) Tratamiento de lesiones de emergencia - $100
d) Chequeo post-procedimiento - $150
e) Chequeos de rutina y consultas - $75

Para pagos anticipados, los clientes tienen un 50% de descuento.

Diseñar un programa que proporcione al cliente toda la información necesaria y dar un total según lo que el cliente elija.

¿Confuso? Déjame darte una pista. No puedes almacenar dos valores en una sola variable a menos que quieras crear una lista aquí. No pretendemos eso. Puedes crear dos variables separadas, service_a y price_a, o simplemente puede usar declaraciones condicionales para mejorar el programa. Dejo la decisión en sus manos.

Sin embargo, preferiría usar el último. Es mucho más fácil y menos desordenado en la naturaleza.

Hasta ahora, hemos visto dos simples ejercicios. Ahora, probablemente se habrán dado cuenta de que nuestros programas pueden crecer cada vez más grandes y largos en la naturaleza cuanto más complejos intentemos hacerlos. Cuanta más información tenga, más líneas de código se agotarán. En situaciones típicas, se encontrará con programas que abarcan más de 400 líneas en promedio, y estos son simples guiones utilizados por los programadores para varios propósitos.

Honestamente no quiero asustarte o intimidarte en absoluto, pero aquí tienes un pequeño dato para que lo asimiles.

Se cree que Mac OS X es el programa más grande que se ha escrito. Contiene más de... espéralo... ¡85 millones de líneas de código!

Si imprimiera eso y colocara los papeles normales de tamaño A-4 en línea recta, cubriría una distancia considerablemente grande.

Sin embargo, no estamos aquí para establecer un récord mundial, al menos no todavía. Nuestro motivo es más simple y más amable con nuestros dedos y nuestra mente.

Estos ejercicios pondrán a prueba, o ya han puesto a prueba, sus conocimientos sobre la creación de variables, el almacenamiento de información de entrada del usuario, su modificación (tal vez) y su recuperación para cálculos sencillos también. En el corazón de cada programa se encuentra la información buena y sólida. Sin esto, los programas no tendrán ninguna razón para funcionar.

Así que ahora que hemos atendido a estos dos ejercicios, sigamos adelante y veamos qué más podemos hacer.

Tarea 3: Un campus universitario ha decidido crear un programa que determinará la elegibilidad de un solicitante en base a unas pocas preguntas y condiciones. La universidad en cuestión le ha pedido que cree un programa para registrar los siguientes datos:

a) **Nombre**
b) **Apellido**
c) **Edad**
d) **Puntuación general en su último resultado de la prueba (de 600)**
e) **Si busca una beca**

En base a las siguientes condiciones, se decidirá la elegibilidad para la admisión y para la beca:

Para la admisión:

- **El estudiante debe haber alcanzado al menos un 60% de puntuación global o superior para ser admitido.**

-

Para la beca:

- El estudiante debe tener al menos una puntuación del 80% en el examen para poder optar a la beca.

Crear un programa con los datos de tres estudiantes diferentes que han adquirido un 471, 354 y 502 en consecuencia. Imprimir sus resultados en base a las condiciones anteriores.

Este ejercicio será bastante largo y requerirá que utilices la información y las declaraciones condicionales para ejecutarlo a la perfección. También se utiliza un módulo similar para el cálculo de la puntuación del Sistema de Clasificación Competitiva (CRS) de Canadá con fines de inmigración.

Cuando resuelva programas y situaciones complejas, anticipa dónde debe establecer las variables y utilízalas. Si se pierden posiciones clave, su programa tendrá información pero no funcionará o será utilizado adecuadamente.

Es esencial señalar que necesitarás tener una comprensión básica de las operaciones matemáticas como la multiplicación, la división, etc., ya que éstas te ayudan enormemente a crear mejores programas.

Python te permite ser tan creativo como puedas. Si crees que estás atado por restricciones, te sorprenderá saber que no hay ninguna. Puedes aplicar Python a prácticamente todo para crear programas que te digan si tienes los ingredientes adecuados para una receta o la cantidad correcta para pagar tus deudas. Puedes usarlo para hacer un programa de predicción que puede predecir los posibles resultados para que te prepares para todas las eventualidades y así sucesivamente.

Las grandes organizaciones empresariales utilizan estos programas que pueden parecer simples pero que tienen mucho que hacer en el fondo. Como programador, es nuestro trabajo realizar lo que se necesita hacer, cómo se ejecutará y cómo se puede lograr el resultado deseado. Siempre use un papel en blanco para dibujar el diagrama de flujo. No hay un diagrama de flujo específico para que sigas, lo que significa que puedes venir con sus ideas por su cuenta y el mapa de ellos. Es de gran ayuda para la parte de programación de todo el ejercicio. Adelante, inténtelo para el ejercicio anterior (si aún no lo ha hecho), de lo contrario, utilice uno para cualquiera de los ejercicios que encontrará más adelante.

¿Esto es correcto? - Parte 2

Una vez más, nos sumergiremos en algunos programas que he creado y/o compilado de varias fuentes. Su objetivo es ver y analizar, *sin usar PyCharm o cualquier IDE*, si podrían o funcionar.

Q-1: Un programador ideó un programa que encontraría el número más alto de un conjunto de números dado. Los números proporcionados se almacenaron como una lista en una variable de la lista llamada 'number_data' y el programa que diseñó se veía así:

number_data = [323, 209, 5900, 31092, 3402, 39803, 78341, 79843740, 895, 6749, 2870984]

for number in number_data:

> *if num < number:*

> *num = number*

print(num)

¿Funcionará el código anterior? ¿Qué hay de malo con el código?

No te preocupes por los bucles y si las declaraciones, trata de analizar el error aquí. Adivina y luego comprueba tu respuesta. Luego puedes probarlo en PyCharm para ver si las cosas funcionan o se caen.

Q-2: Un programador independiente fue encargado de crear un programa simple para determinar la elegibilidad de un perfil para un auto-préstamo. Basándose en alguna información y condiciones específicas, como que el candidato debe ser menor de 45 años, debe tener un mínimo de un cierto número como ingresos y no debe tener antecedentes penales, el programa debía determinar si la misma persona era elegible para un préstamo o no. El programador escribió el siguiente programa:

print("Su puerta a la verificación de elegibilidad para el auto-préstamo!")

```python
print("Por favor, proporcione información completa para obtener los
mejores resultados")

name = input("Por favor, introduzca su nombre completo: ")

age = int(input("Introduce tu edad: "))

income = int(input("Por favor, introduzca sus ingresos por mes: "))

nature_of_job = input("¿Trabajas a tiempo completo, a tiempo parcial o
como autónomo?: ")

has_license = input("¿Tienes una licencia válida? [s/n]: ")

if has_license.lower() == "y":

        has_license = True

else:

        has_licencia = False

has_criminal_record = input("En los últimos 5 años, ¿tienes antecedentes
penales? [s/n]: ")

if age > 45 and income >= 8000 and has_license == true and
has_criminal_record == Falso:

        print("Usted es elegible para un préstamo")

elif age < 45 and income >= 5000 and has_license == True and
has_criminal_record == False:

        print("Usted es elegible para solicitar un préstamo")

Elif has_criminal_record:

        print("No eres elegible para un préstamo")

elif income < 5000:
```

```
        print("No es elegible en este momento")

else:

        print("Por favor, tenga paciencia, ya que uno de nuestros
especialistas se pondrá en contacto")
```

Al ejecutar una muestra, el resultado fue el siguiente:

¡Tu puerta a la verificación de elegibilidad para el auto-préstamo!

Por favor, proporcione información completa para obtener los mejores resultados

Por favor, introduzca su nombre completo: John Smith

Introduzca su edad: 38

Por favor, introduzca sus ingresos mensuales: 8300

¿Trabaja a tiempo completo, a tiempo parcial o como autónomo?: A tiempo completo

¿Tiene una licencia válida? Sí.

En los últimos 5 años, ¿tiene antecedentes penales? No.

No eres elegible para un préstamo

Proceso terminado con el código de salida 0

¿Crees que el programa se ejecutó correctamente? Si no, ¿cuál cree que es el problema?

A veces, la solución es bastante obvia. Debería ser capaz de reconocer el error inmediatamente si puede enlazar los puntos y ver qué valor se está recordando y qué valor/estado está imprimiendo la variable. No puedo darle más pistas que eso. Intente pensar en esto. Una vez clasificado, pasemos a otro.

P-3: Como proyecto escolar, se le pidió a cada estudiante que ideara un programa que no superara las 10 líneas y que fuera capaz de hacer algunas matemáticas básicas para producir respuestas. El estudiante ideó un programa simple que pide al usuario que teclee un número y le hará saber si el número es par o impar. El programa es como se muestra a continuación:

```
print("El número es par o impar!")

num = input("Introducir un número: ")

if (num % 2) = 0:

        print("{0} es par")

else:

        print("{0} es impar")
```

¿Crees que el programa funcionará? ¿Qué errores, si los hay, cree que causarán problemas al estudiante?

Los juegos simples pueden ser a veces bastante entretenidos. Mientras comprobaba el código yo mismo, pasé más de una hora trabajando en él sin ninguna razón. Modifiqué los valores, las condiciones y tuve bastante tiempo.

Aquí hay una situación más, a ver si puedes resolver el problema por tu cuenta.

Q-4: Como proyecto paralelo, un programador decidió crear un programa simple que permite a los usuarios saber si el año, mencionado por el usuario, es un año bisiesto o no. El año bisiesto se calcula determinando si el año es exactamente divisible por el número "4" y en el caso de un año de siglo, como el año 2000, debe ser exactamente divisible por 400.

Usando el concepto anterior, el programador escribió este código:

```
print("Mi brillante calculadora de año bisiesto")
```

```
año = int(input("Por favor, introduzca el año: "))
if (año / 4) == 0:
    if (año / 100) == 0:
        if (año / 400) == 0:
        print(f"{año} es un año bisiesto)
            else:
            print(f"{año} no es un año bisiesto")
    else:
        print(f"{año} es un año bisiesto)
else:
    print(f"{año} no es un año bisiesto")
```

Cuando el código se ejecutó con el año 2020, la respuesta fue la siguiente:

¡Mi brillante calculadora de año bisiesto!

Por favor, introduzca el año: 2020

El 2020 no es un año bisiesto

Proceso terminado con el código de salida 0

¿Por qué crees que es eso?

(Programiz: https://www.programiz.com/python-programming/examples/leap-year)

Lo anterior es en realidad una idea brillante. Aunque ya es un poco tarde, se pueden idear formas más interesantes de usar tales inspiraciones y programas para llegar a algo más significativo.

Los programadores de todo el mundo han buscado con ahínco formas de simplificar aún más las cosas que normalmente pasamos por alto. Piensa bien y piensa bien en los asuntos de la vida que requieren algo de trabajo y que pueden ser mejorados. Piensa en tus propias ideas genuinas o intenta mejorar los programas que ya existen ahí fuera.

Internet está lleno de tales programas. Los encontrarás en muchas plataformas, foros y sitios web sociales. Sólo tienes que navegar a través de ellos, comprobar el código fuente y ver si tienes derecho a modificar el código para llegar a algo vibrante y mejorado.

Creo que es hora de que busquemos algo nuevo, algo fresco y algo que sea realmente desafiante.

Proyecto - 1

Antes de proporcionarle su primer proyecto, permítame rápidamente arrojar algo de luz sobre lo que puede esperar de estos proyectos.

Cada proyecto será único, ya que cada uno de nosotros tendrá diferentes ideas sobre cómo llevar a cabo la tarea y ejecutar la misma. Los proyectos serán diseñados para proporcionarte tareas aparentemente simples, sólo para descubrir que tal vez tengas que hacer algo más que copiar y pegar bloques de código de un archivo a otro.

Utilice sus conocimientos de codificación de todas las fuentes, ya que éstas no estarán ligadas a capítulos individuales. En los proyectos es donde te encontrarás con todo tipo de problemas, situaciones y escenarios. Para resolverlos, o terminarlos con éxito, necesitarás usar varios métodos desde el principio, hasta el final de asuntos complejos como funciones, clases y módulos.

Le proporcionaré enlaces desde los que podrá descargar módulos específicos, bibliotecas o clases para facilitar el proceso. Ya sabes cómo importarlos a tu PyCharm usando el método "from x import y" o "import xyz". Intenta hacer que un escenario de aspecto simple sea complejo e interesante. Continúa desarrollando estos proyectos con el conocimiento avanzado que esperas obtener después de este libro. Un programa nunca está realmente completo. Incluso los mejores programas y software continúan siendo actualizados con nuevos conocimientos, módulos y variaciones.

Sigue practicando y añadiendo más a estos proyectos. Quién sabe, puede que termines con algo mucho más superior y útil que un simple mensaje que diga "Hola Mundo" al final.

Tarea:

Crear un simple juego de "Piedra, Papel, Tijera" donde la computadora genera valor al azar y pide al usuario que introduzca su selección. El resultado debe mostrar si el usuario gana o pierde, o si es un empate.

Requisitos:

Para completar este proyecto, tendrá que utilizar lo siguiente:

Paquetes:

De la importación aleatoria de randint - Esta será su primera línea de código. Random viene preinstalado y te permite forzar a la computadora a aleatorizar la selección. Esto te ayudará a asegurarte de que cada turno sea único e impredecible.

Hay bastantes maneras de completar este proyecto. Como referencia, también compartiré mi solución para este proyecto al final del libro.

Por favor, ten en cuenta que deseo animarlos a explorar el mundo de Python y a utilizar sus propios enfoques genuinos, a comunicarse con la comunidad y a aprender mejores formas de codificar. Por esta razón, no compartiré los detalles de los proyectos que se están llevando a cabo. Con gusto compartiré las respuestas a las preguntas y soluciones a otros problemas. El resto, los invito a usar su poder de deducción y programación para aprender mejor.

Hasta ahora, hemos hecho algunos ejercicios, cuestionando lo que era correcto y lo que no. Incluso iniciamos nuestro primer proyecto, que es bastante desafiante para ser justos. Sin embargo, todo depende de lo bien que entiendas tus fundamentos. Cuanto mejor los conozcas, más fácil será pasar de ser un principiante a un programador intermedio y eventualmente a un programador experto. Si no estás seguro de ciertos aspectos, siempre es un buen hábito revisar los conceptos y repasar lo que has aprendido.

Es hora de decir adiós a las variables y a los valores almacenados y pasar a nuestros amigos, las declaraciones y los bucles.

Capítulo 3. Corriendo en círculos - ¡Literalmente!

El mundo de los bucles y las declaraciones condicionales es un mundo que involucra mucho pensamiento. Esto pondrá a prueba su pensamiento analítico y crítico, su capacidad de resolución de problemas y le pondrá en una situación bastante incómoda. El truco detrás de cada una de ellas es entender cuidadosamente cómo funcionan.

Como siempre, personalmente recomendaría usar un bolígrafo y un papel, o el editor de texto de su elección en su ordenador, para dibujar primero el escenario usando diagramas de flujo y diagramas. Para darles una idea, aquí hay una:

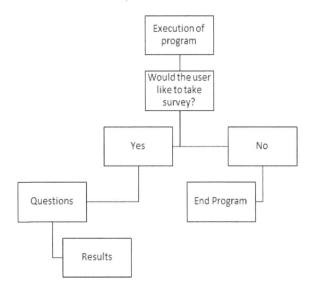

Tabla que muestra un flujo de declaración condicional simple "if" de un proceso.

El uso de tablas o diagramas de flujo nos ayuda enormemente a facilitar las cosas y a desarrollar una mejor comprensión de la naturaleza de la tarea en cuestión. Muchos grandes programadores primero anotan sus ideas en partes más pequeñas para asegurarse de que se miren individualmente, cuando sea posible. Haciendo esto, pueden entonces centrarse en tales gráficos para entender completamente cómo el programa necesita funcionar y cuáles serán los resultados basados en el camino que el usuario tome.

Del mismo modo, se recomienda encarecidamente que se utilicen tales tablas o gráficos para ayudar a desarrollar plenamente el dominio de las declaraciones "if" y "else" y, en última instancia, dominarlas. No hay otra manera de decir esto, así que sólo lo diré: Si desea crear programas inteligentes, nunca podrá hacerlo sin desarrollar una comprensión profunda de estas declaraciones condicionales y bucles.

Dicho esto, continuemos nuestra búsqueda para perfeccionar nuestra comprensión de las declaraciones condicionales y los bucles.

"if" o "for" - ¡Esa es la cuestión!

Bastantes veces, incluso yo pasaba días tratando de averiguar si necesitamos usar las condiciones de "if" y "else" u optar por una combinación de "for" y "while". Este es uno de los aspectos más difíciles de la programación, pero es uno que ciertamente puede entregar la tan necesaria calidad del programa.

Le plantearé varias preguntas y escenarios. Cuando sea posible, también le haré saber el resultado deseado que debe lograr. Su trabajo, como programador, es averiguar si necesita usar declaraciones condicionales, bucles o una combinación de ambos para lograr dicho resultado.

Esto será difícil, por lo que es esencial que uses tu IDE favorito e intentes con estos. Piensa en tus posibles soluciones y compáralas con las que se proporcionan al final del libro para ver si fuiste capaz de abrirlas con éxito.

Tarea 1: Se le ha pedido a un programador que cree un programa simple en el que debe trazar los dígitos del cero al nueve en palabras. El programa le pedirá a un usuario que introduzca su número, y el programa imprimirá el mismo en un texto en su lugar. El resultado deseado es el que se muestra a continuación:

*Por favor, introduzca su número: **415602397***

*Salida: **Cuatro Uno Cinco Seis Cero Dos Tres Nueve Siete***

¿Cómo crees que se puede lograr esto? ¿Necesitaríamos usar un bucle aquí o un conjunto de declaraciones condicionales?

No es tan fácil como parece, ¿verdad? Puedo empezar con una pista; usar un diccionario para crear pares clave-valor para números y palabras.

Lo que tienes que hacer a continuación es absolutamente tu decisión. Tómate tu tiempo, ya que no se te ha impuesto ningún límite de tiempo. En este momento, estás practicando y aprendiendo a ser un mejor programador. Puedes utilizar tu tiempo bien y sin límites de tiempo para cumplir. En los escenarios del mundo real, puede que necesites saber todo esto de antemano para que no termines perdiendo el tiempo. Si no eres capaz de hacer esto, alguien más lo hará.

Aquí está nuestra segunda tarea para pensar y resolver.

Tarea 2: Un estudiante llevó a cabo un programa que calculó el coste de envío de un minorista online para el cliente. El programa basaría el coste de envío en el total del carrito y el país de residencia del cliente en cuestión.

La tabla de abajo muestra los detalles de los gastos de envío:

Pais	Total	Precio de envio
USA	<$50	Free
	$50 - $99	$10
	$100 - $249	$25
	>$250	$50
AU	<$50	$10
	$50 - $99	$20
	$100 - $249	$50
	>$250	$100
CA	<$50	$5
	$50 - $99	$15
	$100 - $249	$30
	>$250	$75
UK	<$50	$20
	$50 - $99	$25
	$100 - $249	$55
	>$250	$110

Usando la información anterior, el estudiante fue capaz de crear el programa con éxito.

¿Qué crees que hizo el estudiante?

Esto podría ser realmente simple, pero piénselo bien e intente que sea lo más agradable posible. Si desea asumir un poco de desafío, agregue listas y tuplas a la mezcla para probarse más a sí mismo.

Cada programa que se encuentra aquí se puede hacer de cientos de maneras, si no miles. Para mí, el vaso puede parecer medio vacío y para ti, medio lleno. Se basa completamente en cómo analizamos las cosas y las miramos.

Ponte tu gorra de pensar y para la próxima, no copies y pegues el código en tu PyCharm todavía. Mira a ver si puedes detectar el problema con este.

Tarea 3: Eres un programador al que se le ha encomendado la tarea de crear un juego simple pero inteligente que almacena un nombre que los usuarios tendrán que adivinar. Al proporcionar el nombre equivocado, el programa proporcionará pistas. Usted ha creado el siguiente programa, sin embargo, parece que hay algo mal aquí.

name = 'James'.

guess = input("Tengo un nombre. ¿Puedes intentar adivinarlo?: ")

guess_num = 0

max_guess = 5

while guess != name and guess_num == max_guess:

*   print(f"Me temo que no es del todo correcto! Pista: letra {guess_num +1} ")*

print(guess_num + 1, "es", nombre[guess_num] + ". ")

guess = input("Inténtalo de nuevo: ")

guess_num = guess_num + 1

```
if guess_num == max_guess y nombre != guess:

    print("¡Ay! Fallaste. El nombre era", name + ".")

else:

    print("Bien, lo conseguiste en", guess_num + 1, "intentos!")
```

Intenta no saltar a tu IDE para resolver esto. Primero, tómate un momento o dos y analiza lo que está causando que este programa termine casi inmediatamente al proporcionar un nombre incorrecto. Seguramente, debe haber algo que no está bien.

Lea cuidadosamente entre las líneas de código y pronto podrá resolver el asunto. Intenta resolver el problema y luego prueba la posible solución en tu IDE para ver si funciona.

Una vez más, te animo a mejorar las cosas modificando el código a tu gusto. Hay cientos de juegos que se pueden inventar, que son simples y a la vez puramente entretenidos para los demás. Como programadores, nos enorgullece saber que fuimos capaces de ejecutar códigos con eficiencia y facilidad. Los programas se volverán más complejos a medida que progresen en su viaje de programación. Para aquellos interesados en un aprendizaje profundo y en el aprendizaje de la máquina, esperen cientos de líneas de código para entrenar a la máquina. Para ello, necesitarán estar bien versados con casi todos los métodos existentes, todas las funciones y módulos disponibles en Internet para sacar el máximo provecho de la experiencia.

Proyecto - 2

Es hora de otro proyecto. Ya que estamos hablando de juegos, crear un programa Python que permita al usuario conocer su signo astrológico desde la fecha de nacimiento dada. El programa puede parecer bastante fácil, pero una vez que mire en los pequeños detalles, pronto se dará cuenta de que esto requerirá pensar un poco fuera de la caja.

Para este proyecto, no voy a dar pistas ni un modelo a seguir. Ya tienes el conocimiento, y deberías ser capaz de ejecutar este con facilidad y un poco de delicadeza también. No necesitas ningún módulo o paquete especial para llevar a cabo este proyecto. Todo lo que necesitas es una búsqueda rápida en Internet para ver qué signo del zodíaco empieza cuando te pones en marcha.

A través del ensayo y error, debería ser capaz de crear un programa que sea capaz de trabajar fácilmente y de forma excepcional. Si se encuentra con problemas, trate de resolverlos por su cuenta en lugar de buscar una solución en Internet.

Si tales proyectos le interesan, puede encontrar muchos más buscando "Proyectos Python para principiantes" y comenzar. Cuantos más proyectos en los que trabajes, mejor aprenderás. Mantente atento a la demanda de estos días y ponte como objetivo que algún día puedas llevar a cabo una programación de un nivel que te pague bien.

Preguntas y respuestas

Desearía que este fuera un juego en el que pudiéramos ver quién lidera con cuántos puntos y saber quién respondió correctamente a las preguntas. Sin embargo, no dejaremos que eso se interponga en el camino del aprendizaje.

Responde tantas preguntas como puedas. Para hacer esto interesante, tómate tu tiempo e intenta responder a todas las preguntas en 10 minutos. Al final de los 10 minutos, detente y revisa tus respuestas para ver dónde estás parado.

Q-1: ¿Qué hace el operador ==?

A. Asigna un valor

B. Recuerda y coincide con el valor de las variables antes y después de él

C. Le permite a Python saber que no debe equiparar las variables

D. Ninguno de los anteriores

Q-2: ¿Qué pasa con el código de abajo?

x = 20

```
y = 30

z = 40

if x > y:

print("Algo está mal aquí")
```

A. Ya que x es menor que y, el programa se bloqueará y devolverá un error

B. z no se llama, por lo que el programa no funcionará

C. La condición no va seguida de una indentación

D. No hay nada malo en el programa

P-3: ¿Cuál será el resultado del siguiente programa?

```
alfa = 'Bravo'

Bravo = 'Charlie'.

Charlie = 'Alfa'.

for char in alfa:

    if char != 'a':

 print(char)
```

A. Bravo

B. Charlie

C. Alfa

D. Ninguno de los anteriores

Q-4: ¿Cuál es la diferencia entre 100/30 y 100/30?

A. Es sólo un error de mecanografía.

163

B. Ambos darán los mismos resultados.

C. La / mostrará una figura flotante mientras que la // mostrará un resto entero.

D. La / mostrará un resto entero mientras que la / / un resto flotante.

P-5: ¿Qué imprimirá el código que se muestra a continuación como resultado si un coche está viajando a 75 millas por hora?

car_speed = int(input("Enter Car's current speed: "))

acceleration = 20 #per second

top_speed = 100

time = 0 #in seconds

if car_speed == 0:

*   time = top_speed // acceleration*

*   print(f"Debería tomar {tiempo} segundo(s) para que el auto alcance su velocidad máxima")*

*   #Para un vehículo estacionario*

else:

*   time = (top_speed - car_speed) // acceleration*

*   print(f"que tomaría {time} segundo(s) para alcanzar la velocidad máxima.*

*   #Para un vehículo en movimiento*

A. 5 segundo(s)

B. 3 segundo(s)

C. 1 segundo(s)

D. El programa devolverá un error

Q-6: ¿Cuándo deberías usar un bucle "for"?

A. Cuando necesitamos una salida específica

B. Cuando necesitamos iterar sobre un rango de elementos

C. Cuando deseamos establecer una cierta condición para que sea verdadera o falsa

D. Ninguno de los anteriores

P-7: ¿Qué indica el siguiente error?

traceback (la última llamada más reciente):

Archivo "C:/Usuarios/Programador/PycharmProjects/PFB/PFB-2/Project-2.py", línea 1, en <módulo>

car_speed = int(input("Enter Car's current speed: "))

ValueError: invalid literal for int() with base 10: "abc

Process finished with exit code 1

A. El programa se estrelló debido a una entrada de valor inválida

B. El programa se estrelló porque 'abc' no fue introducido como una cadena

C. Usó comillas simples en lugar de comillas dobles

D. Ninguno de los anteriores

Q-8: El siguiente programa utiliza el módulo log10 del paquete 'matemático'. El programa fue diseñado para llevar a cabo algunas operaciones aritméticas para probar los valores y la funcionalidad del programa. ¿Qué parece estar mal aquí?

from math import log10

a = input("ingresa el primer valor: ")

```
b = input("ingresa el Segundo valor: ")

print(a, "+", b, "es", a + b)

print(a, "-", b, "es", a - b)

print(a, "*", b, "es", a * b)

print(a, "/", b, "es", a / b)

print(a, "%", b, "es", a % b)

print(f"El logaritmo de la base 10 de {a} es {log10(a)}")

print(a, "^", b, "es", a**b)
```

    A.   Las cadenas no están formateadas correctamente

    B.   Los valores de entrada se almacenan como cadenas en lugar de enteros

    C.   La función log10 no funcionará dentro de una cadena formateada

    D.   Todo lo anterior

Q-9: ¿Qué hace una declaración "elif" que "else" no puede hacer?

    A.   Las condiciones Elif son condiciones secundarias que se ejecutan cuando la condición principal es falsa

    B.   Las declaraciones de Elif no requieren condiciones, mientras que las demás declaraciones sí.

    C.   Las declaraciones de Elif son exactamente las mismas que las demás declaraciones

    D.   Ninguno de los anteriores

P-10: ¿Qué produce lo siguiente como resultado?

```
def high_number(numbers):
```

```
max = numbers[0]

for number in numbers:

if number < max:

max = number

return max
```

```
list = [21, 200, 31, 1, 39]

print(high_number(list))
```

A. 39

B. 5

C. 200

D. 1

Q-11: Es necesario usar las declaraciones "if" cada vez que se usan los bucles. ¿Esta declaración es verdadera o falsa?

¡Y para! Con suerte, fuiste capaz de hacer todo esto en el límite de tiempo de 10 minutos. No espero que esto haya sido una tarea fácil, ya que 10 minutos no es exactamente mucho, pero de nuevo, fue un desafío.

Bien hecho por haber anotado tantos como tú. El desafío no era ver quién podía conseguir la mayoría de las respuestas correctas. En realidad estaba diseñado para asegurar que siguieras practicando. Incluso si eras capaz de conseguir una de estas respuestas correctas, usando tu conocimiento y no sólo una conjetura salvaje, demuestra que estabas prestando atención y tratando de entender el problema para llegar a una solución. Ese es exactamente el tipo de actitud y compromiso que nos llevará más cerca del éxito.

Tómese un descanso, si ha estado practicando durante un tiempo. Se dice que la mente humana necesita uno o dos minutos para relajarse después de cada 45 minutos. Te lo has ganado. Una vez que regreses, avancemos y tratemos de analizar más programas y ver en qué se han equivocado las personas.

¿Esto es correcto? - Parte 3

Honestamente, esto ya se está convirtiendo en mi sección favorita. Podemos ver muchos programas y señalar los errores, y en el proceso, podemos aprender mucho más. De hecho, incluso nos inspiramos en algunos de estos programas para hacer algo similar. Estén atentos a los programas que puedan parecer interesantes, ya que siempre pueden modificar su funcionamiento. Sin embargo, esto no siempre está permitido por la ley.

Lo mejor es asegurarse de que primero conozca sus derechos con respecto a la copia o edición de dicho código. Para este libro, no tiene que preocuparse mucho.

Q-1: Un programador decidió crear un programa simple, sólo para practicar las condiciones básicas de "si" y "si no". Escribió el siguiente programa:

name= "John"

age = 33

is_married = True

is_happy = input("¿Estás contento?: ")

if is_happy.lower() == "yes":

  print("¡Bien hecho!")

else:

  print('Siento oír eso')

Aunque el programa funciona bien, hay algo que está mal. ¿Puedes averiguar qué es? Deberías ser capaz de eliminarlo y el programa seguirá funcionando correctamente.

P-2: Un estudiante definió una función como se muestra a continuación:

```
def kms_to_miles(distance):

 distance * 0.621
```

Al tratar de usarlo, el programa devolvió un valor de "Ninguno" como resultado. ¿Por qué crees que eso sucedió?

A. El estudiante no debe haber pasado el parámetro apropiado.

B. La distancia utilizada habría sido en millas, de ahí el error.

C. El estudiante olvidó usar "retorno" antes del cálculo mientras definía la función.

D. No tengo ni idea de por qué ha fallado esto. Debería haber funcionado.

P-3: ¿Cree que el siguiente programa debería funcionar? Si no, ¿por qué?

```
preces = [5, 10, 15, 20, 25]

total = 0

for item in prices:

 total += item

print(f"Su precio total es: ${total}")
```

No intente copiar el código en su IDE. Intenta analizar la situación primero para ver si puedes detectar un error.

Q-4: En nuestro libro anterior, pasamos por un programa de ejemplo como se muestra:

```
for a in range(3):

    forb in range(3):

      for c in range(3):

        print(f"({a}, {b}, {c}")
```

Si cambiara los valores de los rangos de arriba a abajo a 3, 2, 1, respectivamente, ¿funcionaría el programa? ¿Cuál sería el resultado?

Q-5: Según un estudiante, la indentación es innecesaria y no debería causar ningún problema al ejecutar un programa. El otro estudiante es de la idea de que Python presta atención a los espacios en blanco y por lo tanto la indentación es muy importante para mantener el código y organizarlo en consecuencia. ¿Cuál de los dos cree que es el correcto?

Q-6: Mira el fragmento de código de abajo. Fue tomado de un programa que fue diseñado para iterar sobre los pares de teclas de un diccionario.

```
salida = ""

for char in number:

    output += words.get(char) + " " "

print(output)
```

¿Qué hace el operador += aquí?

Q-7: Un adolescente quiso imprimir un simple diseño en pitón como resultado. El diseño que se muestra a continuación fue el resultado:

*

**

***

****

```
*****

******

*******

********

*********

**********
```

¡Yo lo hice!

```
**********

*********

********

*******

******

*****

****

***

**

*
```

¿Crees que esto se puede hacer usando bucles? Si es así, ¿puedes codificar el programa?

Para aquellos que recuerden los días en que el DOS se consideraba algo nuevo, seguramente creamos muchos de estos patrones y diseños. Ahora, Python puede llevar a cabo eso, pero en lugar de depender sólo de las declaraciones impresas, usamos bucles para hacer un trabajo extenso para nosotros.

Hay más módulos y paquetes como el de la tortuga, que te ayuda a crear algunos diseños increíbles. Turtle es un paquete preinstalado incorporado, y deberías poder importarlo fácilmente. Puedes encontrar fácilmente tutoriales en línea para ver de qué se trata todo el asunto, y posiblemente usar los mismos para ver cuán fácilmente Python puede hacer nuestro trabajo por nosotros.

Python es mucho más que un lenguaje de codificación. Se puede hacer mucho con sólo escribir unas pocas líneas. Con la ayuda de tu IDE favorito, las cosas mejorarán la experiencia y mantendrán alta la curva de aprendizaje. Con python, siempre puedes aprender algo nuevo.

Hablando de lo nuevo, es hora de que miremos en nuestro próximo capítulo y nos encontremos con otro aspecto de la programación que cubrimos en el último libro: ¡Funciones!

Capítulo 4. Usando las funciones correctas

Ya hemos visto cómo las funciones pueden ayudarnos enormemente a llevar a cabo y organizar bloques masivos de código en una simple, palabra o dos largas funciones recordables. Si eso no es suficiente, Python trae algunas de las mejores funciones predefinidas a la mesa para ayudarnos a llevar a cabo tantas otras tareas sin problemas.

Aunque no nos sumergiremos en funciones que están muy por encima del alcance de un principiante, seguiremos investigando problemas en los que veremos si determinadas funciones nos ayudarían o no.

Tómese un tiempo para asegurarse de que repasa el libro anterior en caso de que necesite refrescar su memoria y revisar los conceptos que hay detrás de las funciones y cómo funcionan. Una vez clasificados, procedamos con nuestros ejercicios, preguntas y escenarios.

Cómo hacer que los programas de funcionamiento funcionen

El objetivo de esta sección del libro es reforzar los conceptos relacionados con las funciones. Para que esto sea un poco más interesante que otros, le proporcionaré escenarios para que los lleve a cabo por su cuenta y los convierta en programas plenamente funcionales. Se les proporcionará una solución al final. Todo lo que necesitas es asegurarte de que lees el escenario y lo visualizas para ordenar lo que necesita ir a donde, y luego formar un programa completamente funcional.

A partir de este momento, les proporcionaré varios escenarios, cada uno de los cuales consiste en programas que tendrán que crear. Algunos de estos pueden requerir que hagan un poco de investigación también. Sin embargo, si se utiliza algún método, biblioteca, módulo o paquete especial, les proporcionaré los que están dentro de las instrucciones.

Q-1: Debes crear una función que calcule la tarifa de un taxi. La tarifa del taxi se compone de una tarifa base de $3.00 y luego $0.10 por cada 100 metros recorridos. Crea una función que tome la distancia como único parámetro (en km) y que devuelva el valor de la tarifa total aplicable. Continúe con un programa para mostrar la naturaleza del funcionamiento de la función.

La situación es bastante fácil. Todo lo que necesitas es trabajar en la función y trabajar los detalles en consecuencia. El resto se colocará en su lugar automáticamente. Tómese su tiempo y procese la información.

Lo sé, es fácil sentirse abrumado. Una rápida mirada a Internet sólo te dejará confundido. Da pequeños pasos y empieza por algún sitio. Con tiempo y un poco de comprensión, pronto entenderás el concepto y podrás resolver estas situaciones fácilmente.

El próximo que viene es aún más difícil. Hemos entrado en la fase en la que podemos decir adiós a los programas de cinco a diez líneas. Es mejor dejarlos ir y practicar en programas más grandes y complejos para pulir sus habilidades y hacer que salgan de su zona de confort y comiencen a explorar correctamente.

P-2: Un cliente le ha pedido que cree un programa reutilizable que contenga funciones reutilizables. La primera situación es crear una función que cree una baraja de cartas virtual.

Como hay 52 cartas, las cartas con valores numéricos del dos al nueve estarán representadas por sus respectivos números. Para 10, Jota, Reina, Rey y As, se requiere usar T, J, Q, K y A.

Después del valor numérico/alfabético habrá otro carácter para representar el traje. Use la h para corazones, la c para tréboles, la d para diamantes y la s para picas.

Debes crear una función que no tome ningún parámetro y que utilice bucles para iterar a través de todas las cartas y almacenarlas con una abreviatura de dos caracteres en una lista. La función sólo debe devolver esta lista como resultado.

Sugerencia: Tendrás que usar lo siguiente como tu línea de inicio.

From random import randrange

Para esto, espera unas cuantas líneas de código. Su completo conocimiento sobre Python será probado y comprobado en este y en los siguientes. No hay necesidad de apresurarse en las cosas. Si no eres capaz de hacerlo la primera vez, puedes investigar un poco y obtener algunas sugerencias. Yo recomendaría no saltar a las soluciones de inmediato. Trata de empujar tu cerebro para que piense un poco fuera de la caja. Hay mucho que aprender, y la única manera de aprenderlo es intentarlo.

P-3: Un colega le ha pedido que ayude en un proyecto de Python. La tarea es crear una función que pueda generar una contraseña aleatoria para un usuario que contenga entre 6 y 8 caracteres como máximo.

Para ello, tendrá que utilizar lo siguiente:

From random import randint

shortest_pass = 6

max_pass = 8

min_ASCII = 33

max_ASCII = 126

La función debe generar un valor aleatorio de las posiciones 33 a 126 de la tabla ASCII. Esta función no tomará ningún parámetro.

El ejercicio anterior te pondrá a prueba y puede que incluso requiera un poco de investigación en la tabla ASCII, si no has visto una antes. Siempre es bueno llevar a cabo un poco de investigación, ya que nos ayuda enormemente como programador a sobresalir aún más en lo que hacemos.

Una de las decisiones más difíciles de tomar cuando se crea una función es conocer el parámetro correcto que se debe usar para que la función funcione. Puedes usar casi cualquier argumento que pases entre paréntesis para convertirlo en un parámetro. A veces, puede que no necesites ningún parámetro, como vimos en algunos de los ejercicios anteriores. En tales casos, es mejor dejar el parámetro en blanco.

En caso de duda, consulte siempre la documentación de Python para saber más sobre los diversos parámetros que puede utilizar para definir las funciones. Para recordar funciones, pase el ratón por encima de los paréntesis y un pequeño aviso debería mostrar el tipo de parámetros que puede utilizar con dicha función.

¿Esto es correcto? - Parte 4

Q-1: A continuación se muestra una función hecha por el usuario que está diseñada para iterar a través de un rango dado y buscar el número más alto. ¿Funcionará la función cuando se llame?

```
def high_number(numbers):

    max = numbers[0]

    for number in number:

    if  number < max:

     max = number

    return max.

list = [21, 200, 31, 1, 39]

high_number(list)
```

P-2: ¿Cuál parece ser el problema con lo siguiente?

```
def this_function():

   print("hola desde esta funcion!")

this_function_with_args(name, greeting):

   print(f"Hola {name}, ¡Desde esta función!, te deseo {greeting}")

this_function()
```

this_function_with_args()

Q-3: ¿Qué haría esta función?

def plus (a, b):

sum = a + b

(sum, a)

sum, a = plus(3,4)

print(sum)

Q-4: ¿Puede colocar un bucle dentro de una función como se muestra a continuación?

def plus(*args):

total = 0

for i in args:

total += i

return total

print(plus(20,30,40,50))

Ahora que hemos revisado bastantes conceptos y métodos, y también funciones, vayamos a nuestro proyecto final y veamos de qué se trata.

Proyecto final - El ahorcado

¿Recuerdas el viejo juego llamado "El ahorcado"? ¿El que involucraba espacios en blanco y un número limitado de adivinanzas para adivinar una película, un nombre, una persona, una ciudad o algo más? Para tu proyecto final, decidí hacer uno difícil. Un proyecto que usará casi todo lo que has aprendido.

Para mejorar aún más, si ejecutas el programa correctamente, puedes almacenarlo como una función recordable o crear un paquete separado para que puedas usarlo una y otra vez. Aunque hay cientos de variaciones para este juego en línea, usa tu propio enfoque único. Siéntete libre de navegar por Internet para inspirarte.

Requisitos:

Tendrá que usar lo siguiente como primera línea:

import time

Que este sea un proyecto del que se sienta orgulloso, una vez que esté terminado. Al final de este proyecto, tenga la seguridad de que está listo para asumir los retos y ofrecer unos exquisitos conocimientos de programación a aquellos que requieren programadores como tu.

El viaje de un programador no termina aquí. Hay demasiadas cosas por delante con las que tendrás que mantener el ritmo. Aprende sobre varias librerías, módulos y paquetes para ver cómo pueden aportar refinamiento a tus proyectos.

Para aquellos interesados en el aprendizaje automático, la automatización, la inteligencia artificial y el aprendizaje profundo, se encontrarán con algunos nombres como Scikit-Learn, Turtle y algunos más. Aunque todavía es demasiado pronto para entrar en estos, es una buena idea echarles un vistazo y ver cómo se comportan en la acción.

Capítulo 5. ¡Las soluciones!

Finalmente, un capítulo donde no tienes que preocuparte por resolver los ejercicios. Has repasado cada curva, cada escenario y cada ejercicio de este libro de trabajo, y por ello, mereces las más sinceras felicitaciones. Me alegro de que hayas hecho tu mejor esfuerzo para resolver estos ejercicios.

Para todo programador, el comienzo es siempre el mayor obstáculo. Una vez que te pones a pensar en las cosas y empiezas a crear un programa, las cosas se empiezan a alinear automáticamente. La información innecesaria es automáticamente omitida por tu cerebro a través de sus poderes cognitivos y la comprensión de la materia. Todo lo que queda entonces es una zona gris que descubrimos más adelante a través de varios ensayos y errores.

No hay ningún atajo para aprender a programar de manera que te permita escribir códigos 100% correctos, sin un indicio de error, en un momento dado. Los errores y las excepciones aparecen incluso para los mejores programadores de la tierra. No hay ningún programador que yo conozca personalmente que sea capaz de escribir programas sin encontrarse con errores. Estos errores pueden ser tan simples como olvidarse de cerrar las comillas, perder una coma, pasar un valor equivocado y así sucesivamente. Espera que te acompañen estos errores y trata de aprender a evitarlos a largo plazo. Requiere práctica, pero hay una buena posibilidad de que termines siendo un programador que se topa con estos problemas sólo en raras ocasiones.

Dicho esto, es hora de volver a centrarnos en la parte principal de este capítulo, las soluciones a los interminables ejercicios. Algunos de ellos eran increíblemente sencillos mientras que otros no eran tan sencillos como parecían. Independientemente de cuántos aciertes, nunca debes temer ni decepcionarte por el fracaso. Es una parte de nuestro ciclo de aprendizaje y por lo tanto debe ser aceptado, entendido y luego corregido. Cuanto más aprendas de tus errores, más fáciles serán las cosas en el futuro.

Capítulo por capítulo de soluciones

Capítulo 1 Soluciones

A continuación se presentan las respuestas y la respuesta correcta aplicable a la pregunta se resalta en negrita.

P-1: La pregunta que se hizo para identificar cuál de los códigos mencionados usaba Python como su lenguaje de programación.

- Código 1: Unidad C# - No usamos la declaración "usando" en Python, ni usamos punto y coma al final.
- Código 2: HTML - El segundo lenguaje de la lista utiliza HTML, que se utiliza para desarrollar sitios web.
- **Código 3: Python - Evidente en la declaración de importación y el punto y coma que falta.**
- Código 4: JavaScript - Similar a C# pero con algunas diferencias.

P-2: ¿Cómo puede comprobar si su sistema tiene instalado Python 3.8.x? Veamos cuál es el método correcto para comprobar lo mismo:

A. PyCharm - PyCharm es un IDE y puede ser instalado sin tener Python a bordo.
B. Comando en PyCharm - El comando dado no funcionará en PyCharm.
C. **Comando en la consola/terminal - Este es el método correcto para localizar la versión de python.**
D. El sitio web no proporcionará una indicación de la versión que ha instalado.

P-3: ¿Cómo se llama el idioma? Esto estaba relacionado con la historia que cubrimos en el libro anterior. Si te equivocas, está bien. La respuesta correcta es A. El lenguaje fue nombrado por el famoso circo volador de Monty Python.

P-4: ¿Cómo termina cada línea en Python? Para ser honesto, esta fue una de las preguntas más fáciles. Pero sorprendentemente, la gente todavía tiende a olvidar.

A. Con dos puntos...
B. Con un punto y coma.
C. Con una parada/período completo.
D. **Ninguna de las anteriores - Porque cada línea de Python termina sin ningún carácter especial excepto cuando se definen las condiciones o funciones.**

P-5: ¿Qué significa el acrónimo IDE? Hemos discutido esto en el libro anterior.

A. Día Internacional de la Electrónica
B. Entorno en desarrollador integrado
C. Entorno de desarrollo integrado
D. Ingeniería de desarrollo integrado

P-6: ¿Cómo se representa una cuerda en Python?

A. Con una sola comilla''.
B. Con una doble comilla ""
C. Con cualquiera de los anteriores. - Podemos crear cadenas usando comillas simples o dobles.
D. Ninguna de las anteriores.

Q-7: ¿Qué es una variable? Una vez más, una pregunta fácil.

A. Es una función en Python.
B. Es un método en Python.
C. Es un contenedor creado por el usuario que contiene valores inmutables, cerca pero no exactamente la respuesta correcta ya que las variables pueden cambiar.
D. Es un contenedor creado por el usuario que contiene valores que pueden ser modificados.

Q-8: ¿Cómo imprimirías una cadena que diga "¡Sí!"?

A. print("Él dijo, "¡Sí!")

B. print(f"Él dijo, "¡Sí!")
C. **print('Él dijo, "¡Sí!"') - Usando comillas dobles terminaría la cadena al principio del "Sí"**
D. Imprimir (¡Dijo que sí!)

Q-9: Ejecutando el código como se muestra, ¿cuál será la salida?

num = '5' * '5'

print(num)

A. 25
B. 5, 5, 5, 5, 5
C. '5' * '5'
D. **TypeError No se puede multiplicar la secuencia por no-int de tipo 'str' - Una cadena no puede ser multiplicada por otra cadena.**

P-10: Si ejecutas un código que termina con un error, hará que PyCharm se bloquee.

A. Verdadero
B. **Falso - PyCharm es un entorno de trabajo seguro que está diseñado para probar códigos. Si el código se bloquea, el IDE devuelve el tipo de código de error para informar a los usuarios que éste se bloqueará cuando se utilice fuera de PyCharm.**
C. Depende del tipo de código escrito
D. Ninguno de los anteriores

Q-11: ¿Cuál es el método correcto para establecer el valor de un bool 'is_married'?

A. "Verdadero"
B. **Verdadero**
C. "Verdadero
D. verdadero

Q-12: ¿Cuál de las siguientes es una cadena formateada?

Código 1:

```
name = "Jiovanni"

age = 41

print("Hola, estoy nombrando y tengo años ")
```

Código 2:

```
name = "Jiovanni"

age = 41

print(f"Hola, soy {name} y tengo {age} años")
```

Esta es la forma correcta de formatear una cadena. Hay otras maneras de formatear las cadenas, pero personalmente encuentro esto mucho más fácil.

Código 3:

```
name = "Jiovanni"

age= 41

print("Hola, soy " + name + " y tengo" + age + " años")
```

Código 4:

```
name = "Jiovanni"

agee = 41

print("Hola, soy [name] y tengo [age] años")
```

P-13: Para nombrar una variable llamada el first name, ¿qué método es el correcto? Puede elegir más de una respuesta a la siguiente pregunta.

A. **first**
B. **FirstName**
C. first.name

D. first_name

Si te sorprende la segunda entrada aquí, recuerda que se recomienda no usar este formato para nombrar las variables. Aunque no es recomendable, no significa que esté equivocado.

Q-14: Elija una o más respuestas que se apliquen. La práctica del código limpio es:

A. Para mantener nuestras estaciones de trabajo limpias.
B. **Para nombrar nuestras variables y funciones apropiadamente**
C. **Para mejorar la legibilidad.**
D. Para asegurarse de que el código no infrinja ninguna ley.

Q-15: ¿Cuál de las siguientes es la forma correcta de crear una variable llamada "test":

A. def test():
B. test.create
C. **test = "" - Siempre se pueden crear variables como espacios en blanco**
D. print(test)

Q-16: ¿Qué es una concatenación de cadenas?

A. **Para fusionar dos o más cadenas en un nuevo objeto de cadena**
B. Para separar las cadenas
C. Para convertir un entero en una cadena
D. Ninguno de los anteriores

Q-17: Elija la(s) respuesta(s) correcta(s). Python es:

A. **El sucesor del lenguaje ABC - Esto fue discutido en el libro anterior.**
B. Sólo operable a través del IDE de PyCharm
C. **Usado para la automatización y el aprendizaje automático - Estos son dos de los campos más demandados de los tiempos modernos.**
D. Todo lo anterior

Q-18: ¿Qué es OOP?

A. Python orientado a objetos
B. PyCharm orientado a objetos
C. **Programación Orientada a Objetos - Recuerda, todo en Python es considerado un objeto.**
D. Sólo en Python

Q-19: ¿Cómo se puede adquirir la entrada del usuario y almacenarla en una variable llamada income, para propósitos de cálculo?

A. ingresos = bool("Ingrese sus ingresos:")
B. ingresos = int("Ingrese sus ingresos:")
C. ingresos = entrada ("Ingrese sus ingresos:")
D. **ingresos = int(input("Ingrese sus ingresos:")) - El usuario introducirá un valor que luego se convertirá en un número entero.**

Q-20: ¿Cuál de estos es/son verdaderos con respecto a Python?

A. Hay dos tipos de datos
B. **Las variables pueden ser llamadas, modificadas o eliminadas.**
C. **Python puede funcionar sin PyCharm**
D. **El python es un lenguaje sensible a las mayúsculas y minúsculas**

¡Sí! Python puede funcionar sin PyCharm, ya que PyCharm es sólo una de las muchas maneras de operar Python y escribir códigos.

¿Esto es correcto? - Parte 1 Soluciones

Esta fue, en efecto, una sección que causó bastante confusión, pero proporcionó la oportunidad perfecta para practicar nuestras habilidades de codificación y estar atentos a los errores. Veamos las soluciones a las preguntas planteadas en la primera parte de la serie "¿Esto es correcto?".

Q-1: El programa que se muestra a continuación fue creado para mostrar una cadena concatenada. ¿Crees que lo siguiente funcionará? ¿Esto entregará la salida requerida de "Esto será añadido con esto" o producirá una salida completamente diferente? Si es así, ¿por qué?

string1 = "Esto será añadido"

string2 = "Con esto!"

print("cadena1 + cadena2")

Respuesta: La respuesta real sería la que se muestra a continuación si se ejecutara este código tal como está:

string1+string2

Esto sucedió porque a la declaración impresa se le dio una cadena que contenía los caracteres cadena1 y cadena2. Python los tomó bastante literalmente como un objeto de cadena. Para que funcionen correctamente, necesitará usar una cadena formateada. La solución sería como se muestra aquí:

string1 = "Esto será añadido"

string2 = "Con esto!"

print(f"{cadena1}{cadena2}")

Salida:

¡Esto será añadido con esto!

P-2: A continuación se presenta un programa, escrito por un hábil programador para un negocio local llamado "Pete's Garage", que debería proporcionar al negocio una forma más fiable de tratar las cosas. El programa está escrito como se muestra a continuación:

print('Bienvenido a Pete's Garage)

name = input('Por favor, introduzca su nombre: ')

número_de_trabajo = int(input('Por favor, introduzca su número de trabajo: '))

costo_de_reparación = 100

descuento = 15

total = coste_de_reparación - descuento

print("{name}, el total de {número_de_trabajo} es ${total}")

print('Gracias por tu negocio')

¿Funcionará este programa? Si no, ¿puede identificar el error que podría causar que este programa se bloquee o deje de responder?

Respuesta: Para empezar, hay algunos errores que deben ser tratados. Comenzando desde arriba, la primera declaración impresa no está correctamente escrita. La cadena termina en el apóstrofe después de Pete y por lo tanto el programa no funcionará ni identificará el resto.

En adelante, la declaración impresa que declara el total no está formateada. Le falta el carácter clave 'f'. Una vez que estos dos errores sean ordenados, el programa debería funcionar bastante bien.

Si prueba el programa ahora, debería mostrar esto:

Bienvenido al Pete's Garage

Por favor, introduzca su nombre: Emma

Por favor, introduzca su número de trabajo: 91829

Emma, el total de 91829 es de 85 dólares

Gracias por su negocio.

Process finished with exit code 0

P-3: Un estudiante universitario decidió armar un programa que permitirá a los potenciales estudiantes en línea del extranjero llenar el formulario y buscar más información sobre los cursos que les interesan. El formulario se ve así:

#Formulario de registro en línea

print("Bienvenido a la universidad ABC!")

print("Por favor, introduzca la información necesaria para comenzar")

s_f_n = input("Introduzca su nombre: ")

phone = int(input("Introduce tu número de teléfono: ")

em = "Introduce tu correo electrónico:"

crs = "Elija su curso:

El estudiante ha pedido revisar el programa y averiguar si hay algún problema que deba ser abordado. Averiguar qué es lo que está mal con el código y corregir los problemas.

Respuesta: Una vez más, vemos que la variable del teléfono tiene dos paréntesis de apertura pero sólo un paréntesis de cierre. Arregle eso primero para asegurarse de que esta línea de código es funcional. A continuación, la variable 'em' tiene un valor de cadena fijo. Pero estamos tratando de obtener una entrada del usuario. Utiliza la función de entrada aquí. Por último, la 'crs' tiene una comilla de apertura pero no una de cierre. También falta la función de entrada.

Por último, si es necesario, se puede añadir una declaración impresa para confirmar la selección. El programa general debería verse así:

#Formulario de registro en línea

print("Bienvenido a la universisdad ABC!")

print("Por favor, introduzca la información necesaria para comenzar")

s_f_n = input("Introduzca su nombre: ")

phone = int(input("Introduce tu número de teléfono: "))

em = input("Introduce tu correo electrónico: ")

crs = input("Elige tu curso: ")

print(f"{s_f_n}, has elegido {crs} como tu curso.")

```
print(f"Los detalles del curso {crs} serán enviados por correo electrónico a {em}")
```

```
print(f"También podemos estar en contacto a través de una llamada telefónica a {phone}")
```

Salida:

¡Bienvenido a la Universidad ABC!

Por favor, introduzca la información necesaria para comenzar.

Escriba su nombre: Joel

Introduce tu número de teléfono: 915789654

Ingrese su correo electrónico: joel@abcxyz.com

Elija su curso: Desarrollo de juegos

Joel, has elegido el Desarrollo de Juegos como tu curso.

Los detalles del curso de desarrollo de juegos se le enviarán por correo electrónico a joel@abcxyz.com

También podemos estar en contacto a través de una llamada telefónica al 915789654

P-4: Un estudiante ha creado un programa para una página de acceso en una biblioteca para el nuevo grupo de usuarios que se acaba de unir. Después de una breve introducción, se pide a todos los usuarios que creen sus pares de nombre de usuario y contraseña. Después de que los usuarios hayan introducido sus contraseñas, cada contraseña es comparada para asegurar que coinciden. El programa se ve así:

```
username = input("Nombre de usuario: ")
```

```
password = entrada ("Contraseña: ")
```

```
print("Usted ha introducido lo siguiente:")
```

```
print(username.lower())

print({password.lower()}))

print(password==password.lower)
```

¿Cuál parece ser el problema aquí? ¿Por qué crees que el código no funcionará? ¿Qué se puede hacer para asegurar que el programa empiece a funcionar?

Respuesta: El programa no habría funcionado ya que habría impreso una contraseña que distingue entre mayúsculas y minúsculas. Una comparación entre las dos, obviamente, devolvería "falso", ya que no serían las mismas.

Recuerda, Python es un lenguaje que distingue entre mayúsculas y minúsculas. La contraseña no es lo mismo que la contraseña o la clave. Para que sea un programa completamente funcional, tendrás que hacer algo más que ajustar los paréntesis o rellenar los valores que faltan.

Esta es mi opinión sobre el mismo programa.

```
username = input("Nombre de usuario: ")

password = entrada ("Contraseña: ")

print("Usted ha introducido lo siguiente:")

print(nombre de usuario)

print(contraseña)

login = Falso

login_id = input("Por favor, introduzca su nombre de usuario: ")

login_pwd = input("Introduzca su contraseña: ")

while not login:
```

```
if login_id == username and login_pwd == password:

    print("Has entrado con éxito")

    login = True

elif login_id == username and login_pwd != password:

    print("Has introducido una contraseña incorrecta")

    break

elif login_id != username and login_pwd == password:

    print("¡Usted ha introducido la identificación equivocada!")

    break

else:

    print("Ha introducido un ID/contraseña inválido")

break
```

P-5: Se le pidió a un programador, con experiencia y conocimientos intermedios, que escribiera un programa que imprimiera valores booleanos para cada grado que un estudiante adquiriera. Para los grados de A a B, el mensaje era imprimir Verdadero, mientras que otros serían considerados Falsos. Echa un vistazo a este código y mira si esto funcionará:

```
grades = ["A", "A", "B", "U", "F", "E", "D"]

for x in grades:

    if x == A o x == B:

    x = True

    if x == True:
```

```
        print("Pass")

    else:

        x = False

        print("Fail")
```

El estudiante ha afirmado que el código funcionó excepcionalmente. Ahora depende de ustedes analizar el código sin probarlo primero para dar sus primeras impresiones.

Una vez más, vemos algunas comillas mal colocadas en la primera línea. La primera orden del día es corregirlas de inmediato. Luego tenemos nuestras declaraciones "if". Vean cómo la declaración dice si x == A. Aquí, necesitamos agregar comillas para que A sea un objeto de cadena en lugar de una variable separada. Aquí está el resultado final:

```
grades = ["A", "A", "B", "U", "F", "E", "D"]

for x in grades:

    if x == 'A' o x == 'B':

    x = True

    if x == True:

    print("Pass")

    else:

    x = False

    print("Fail")
```

Salida:

Pase

Pass

Pass

Fail

Fail

Fail

Fail

Q-6: Una cadena llamada initial_message contiene el siguiente mensaje:

"Hola, acabo de participar en el curso. Espero que algún día sea programador. "

Excluyendo las comillas, se le pidió a un programador que averiguara la longitud de la cadena. Para ello utilizó el siguiente método:

String.length(mensaje_inicial)

¿Es este el método correcto para comprobar la longitud de una cuerda? Si no, ¿cuál es el método correcto aplicable aquí?

Respuesta: No. Esa no es la forma correcta de comprobar la longitud de la cuerda. La forma correcta de hacerlo es usando la función *len()*, como se muestra aquí:

print(len(initial_message))

Esto entonces contará los caracteres e imprimirá el valor de los mismos a cambio.

Capítulo 2 Soluciones

Tarea 1: Un streamer de YouTube decidió realizar una encuesta en la que se pidió a los usuarios que dieran su opinión sobre lo que les gustaría ver en la siguiente transmisión. Su trabajo es crear un programa que utilice la

siguiente información e imprima el resultado de lo que el usuario eligió, junto con un mensaje de agradecimiento.

¿Qué es lo que voy a hacer a continuación?

- a) Days Gone
- b) Resident Evil 2
- c) Fortnite
- d) Apex legends
- e) Death Stranding
- f) ¡Sorpréndenos!

El mensaje final debería ser:

Ha elegido (opción). ¡Aprecio su tiempo y espero verle en la próxima!

Esto es, de hecho, bastante fácil de hacer. Aquí está la solución para la encuesta que esta serpentina está tratando de crear.

print("¡Bienvenido a mi encuesta, donde me aseguro de entregar lo que quieres!")

print("Por favor, tómate un tiempo para llenar esto y ayúdame a decidir qué jugar después!")

a = "Days Gone"

b = "Resident Evil 2"

c = "Fortnite"

d = "Apex Legends"

e = "Death Stranding"

f = "Sorpréndenos"

print(f") "Aquí están tus opciones. Recuerda, seleccione una:

a),

b){b},

c),

d){d},

e){e},

f){f}""")

selección = entrada ("Por favor, haz una selección: ")

Imprime "Has elegido la selección". Aprecio tu tiempo y espero verte próximamente!")

Y la salida correspondiente se vería así:

¡Bienvenido a mi encuesta, donde me aseguro de entregar lo que quieres!

¡Por favor, tómate un tiempo para llenar esto y ayúdame a decidir qué jugar después!

Aquí están sus opciones. Recuerde, seleccione una:

a) Days Gone,

b) Resident Evil 2,

c) Fortnite,

d) Apex Legends,

e)Death Stranding,

f)Sorpréndenos

Por favor, haga una selección: b

Has elegido b. Aprecio tu tiempo y espero verte en la próxima!

Y eso sería tan simple como eso. Si fueras capaz de hacer esto fácilmente, bien hecho. Si no, ahora tienes todas las ideas de cómo funciona. Recuerda que este es un nivel muy básico de programación. Puedes hacer esto tan interactivo como desees. Ahora, puedes intentar usar varios métodos para hacerlo aún mejor.

Tarea 2: Un dentista desea que se cree un programa para su sitio web donde se le presenten múltiples servicios a los clientes. El cliente elegirá la opción y se le presentará un total por el servicio que debe pagar el cliente. Los servicios se dan como se muestra a continuación:

a) **Terapia de canal de raíz - $250**
b) **Chequeo de higiene oral - $50**
c) **Tratamiento de emergencia de lesiones - $100**
d) **Chequeo post-procedimiento - $150**
e) **Chequeos de rutina y consultas - $75**

Para pagos anticipados, los clientes tienen un 50% de descuento.

Diseñar un programa que proporcione al cliente toda la información necesaria y dar un total según lo que el cliente elija.

Respuesta: Ya te he dado una pista, pero ahora, veamos cómo funciona esto.

print("El Portal del Paciente")

print("Por favor, seleccione el servicio por el que desea venir.")

a = "Terapia de canal de raíz"

print(f"A){a}")

b = "Chequeo de higiene oral"

print(f"B){b}")

c = "Tratamiento de emergencia de lesiones"

print(f"C){c}")

```
d = "Chequeo post-procedimiento"

print(f"D){d}")

e = "Chequeos y consultas de rutina"

print(f"E){e}")

selection = entrada ("Por favor, elija una: ")

print(f"elegiste {selection}")

total = 0

if selection.lower() == "a":

        total = 250

        print(f"Su total es ${total}")

elif selection.lower() == "b":

        total = 50

        print(f"Su total es ${total}")

elif selection.lower() == "c":

        total = 100

        print(f"Su total es ${total}")

elif selection.lower() == "d":

        total = 150

        print(f"Su total es ${total}")

else:

        total = 75
```

```python
    print(f"Su total es ${total}")
print("¿Sabías que? ¡Reserva con antelación y obtén un 50% de descuento!")
payment_time = input("¿Le gustaría pagar hoy? [s/n]: ")
if payment_time.lower() == "y":
    total = total * 0.50
    print(f"Su total pagadero es de ${total}")
else:
    print(f"Tendrá que pagar ${total} en el mostrador.")
print("¡Ten un día de sonrisas!")
```

La salida debería mostrar lo siguiente:

El Portal del Paciente

Por favor, seleccione el servicio al que le gustaría venir.

A) Terapia del canal radicular

B) Chequeo de la higiene oral

C) Tratamiento de emergencia de las lesiones

D)Chequeo post-procedimiento

E)Chequeos y consultas de rutina

Por favor, elija uno: un

elegiste un

Su total es de 250 dólares

¿Lo sabías? ¡Reserva con anticipación y obtén un 50% de descuento!

¿Le gustaría pagar hoy? Sí.

El total a pagar es de 125 dólares.

¡Que tengas un día de sonrisas!

El programa es un poco largo, pero te mantiene ocupado y te mantiene alerta para escribir el código correcto para que el programa sea exitoso. Si fueras capaz de resolver esto por ti mismo, brillante. Si no, está perfectamente bien. Hay mucho tiempo para aprender lo que necesitas hacer para llevar a cabo varias tareas para obtener los resultados deseados.

Tarea 3: Un campus universitario ha decidido crear un programa que determinará la elegibilidad de un solicitante en base a unas pocas preguntas y condiciones. La universidad en cuestión le ha pedido que cree un programa para registrar los siguientes datos:

a) Nombre
b) Apellido
c) Edad
d) Puntuación global en el último resultado de la prueba (de 600)
e) Si busca una beca

En base a las siguientes condiciones, se decidirá la elegibilidad para la admisión y para la beca:

Para la admisión:

- El estudiante debe haber alcanzado al menos un 60% de puntuación global o superior para ser admitido.

Para la beca:

- El estudiante debe tener al menos una puntuación del 80% en el examen para poder optar a la beca.

Crear un programa con los datos de tres estudiantes diferentes donde han adquirido 471, 354 y 502 en consecuencia. Imprimir sus resultados en base a las condiciones anteriores.

Respuesta: Este programa también requirió un poco de pensamiento crítico y planteó un poco de desafío con tres situaciones diferentes. Para abordarlas, necesitamos nuestras amables declaraciones de "si" para ayudarnos a crear un programa inteligente.

print("Bienvenido al comprobador de elegibilidad de aplicación")

nombre = input("Por favor, introduzca su nombre: ")

apellido = input("Por favor, introduzca su apellido: ")

edad= input("Por favor, introduzca su edad: ")

notas = float(input("Por favor, introduzca sus notas totales (de 600): "))

notas_totales = 600.0

*notas_de_paso = notas_totales * 0.60*

*notas_de_becas = notas_totales * 0.80*

if notas >= notas_de_paso:

> *print(f"Felicidades {apellido }! ¡Usted es elegible para ser admitido en la universidad!")*

> *beca = entrada ("¿Está buscando una beca? [S/N]: ")*

> *if beca.lower() == "y" and notas >= notas_para_la_beca:*

> *print(f"¡Felicidades {apellido }! ¡Usted es elegible para una beca!")*

> *beca elif. lower() != "y":*

> *pass*

> *else:*

> *print(f"{apellido }, no eres elegible para una beca en este momento!")*

```
else:

        print(f"Desafortunadamente {apellido }, usted no es elegible para la
admisión.")
```

print("¡Gracias por tu aportación y te deseamos buena suerte!")

El resultado de lo anterior sería el que se muestra a continuación:

Bienvenido al verificador de elegibilidad del solicitante

Por favor, introduzca su nombre: John

Por favor, introduzca su apellido: Doe

Por favor, introduzca su edad: 21

Por favor, introduzca sus notas totales (de 600): 402

¡Felicidades Doe! ¡Eres elegible para la admisión en la universidad!

¿Está buscando una beca? Sí.

¡Doe, no eres elegible para una beca en este momento!

¡Gracias por su aportación y le deseamos buena suerte!

¿Esto es correcto? - Parte 2 Soluciones

**Q-1: Un programador ideó un programa que encontraría el número más
alto de un conjunto de números dado. Los números proporcionados se
almacenaron como una lista en una variable de la lista llamada
'number_data' y el programa que diseñó se veía así:**

```
number_data = [323, 209, 5900, 31092, 3402, 39803, 78341, 79843740,
895, 6749, 2870984]

for number in number_data:

        if num < número:
```

num = number

print(num)

¿Funcionará el código anterior? ¿Qué hay de malo con el código?

Respuesta: El código anterior no funcionará ya que la variable "num" no está definida. Mientras que algunos pueden haber estado innecesariamente preocupados, la solución fue bastante simple. Simplemente declarar una variable llamada num con un valor inicial de cero.

number_data = [323, 209, 5900, 31092, 3402, 39803, 78341, 79843740, 895, 6749, 2870984]

num = 0

for number in number_data:

   if num < number:

   num = number

print(num)

Recuerda declarar las variables antes de que se usen, ya que Python lee el programa línea por línea.

Q-2: Un programador independiente fue encargado de crear un programa simple para determinar la elegibilidad de un perfil para un auto-préstamo. Basándose en alguna información y condiciones específicas, como que el candidato debe ser menor de 45 años, debe tener un mínimo de cierta cantidad como ingresos y no debe tener antecedentes penales, el programa debía determinar si la misma persona era elegible para un préstamo o no. El programador escribió el siguiente programa:

print("Su puerta a la verificación de elegibilidad para el auto-préstamo!")

print("Por favor, proporcione información completa para obtener los mejores resultados")

name = input("Por favor, introduzca su nombre completo: ")

```python
age = int(input("Introduce tu edad: "))

income = int(input("Por favor, introduzca sus ingresos por mes: "))

nature_of_job = input("¿Trabajas a tiempo completo, a tiempo parcial o como autónomo?: ")

has_license = input("¿Tienes una licencia válida? [s/n]: ")

if has_license.lower() == "y":

        has_license = True

else:

        has_license = False

has_criminal_record = input("En los últimos 5 años, ¿tienes antecedentes penales? [s/n]: ")

if  age > 45 and income >= 8000 and has_license == true and has_criminal_record == False:

        print("Usted es elegible para un préstamo")

elif age < 45 and income >= 5000 and has_license == true and has_crimina_recordl == False:

        print("Usted es elegible para solicitar un préstamo")

Elif has_criminal_record:

        print("No eres elegible para un préstamo")

elif income < 5000:

        print("No es elegible en este momento")

else:

        print("Por favor, tenga paciencia, ya que uno de nuestros
```

especialistas se pondrá en contacto")

Al ejecutar una muestra, el resultado fue el siguiente:

¡Tu puerta a la comprobación de elegibilidad para el auto-préstamo!

Por favor, proporcione información completa para obtener los mejores resultados

Por favor, introduzca su nombre completo: John Smith

Introduzca su edad: 38

Por favor, introduzca sus ingresos mensuales: 8300

¿Trabaja a tiempo completo, a tiempo parcial o como autónomo?: A tiempo completo

¿Tiene una licencia válida? Sí.

En los últimos 5 años, ¿tiene antecedentes penales? No.

No eres elegible para un préstamo

Process finished with exit code 0

¿Crees que el programa se ejecutó correctamente? Si no, ¿cuál cree que es el problema?

Respuesta: El programa anterior tiene un problema importante que hará que el programa siempre se retire no elegible como resultado. El has_criminal_record todavía no ha sido definido como Verdadero o Falso. Para eso, necesitamos crear una condición separada. Aquí está el programa completamente operable con una prueba de muestra.

print("Su puerta a la verificación de elegibilidad para el auto-préstamo!")

imprimir ("Por favor, proporcione información completa para obtener los mejores resultados")

name = input("Por favor, introduzca su nombre completo: ")

```
age = int(input("Introduce tu edad: "))

income = int(input("Por favor, introduzca sus ingresos por mes: "))

nature_of_job = entrada("¿Trabajas a tiempo completo, a tiempo parcial o
como autónomo?: ")

has_license = input("¿Tienes una licencia válida? [s/n]: ")

if has_license.lower() == "y":

        has_license = True

else:

        has_license = False

has_criminal_record = input("En los últimos 5 años, ¿tienes antecedentes
penales? [s/n]: ")

if has_criminal_record lower() != "y":

        has_criminal_record = False

else:

        has_criminal_record = True

if age > 45 and income >= 8000 and has_license == true and
has_criminal_record == False:

        print("Usted es elegible para un préstamo")

elif age < 45 and income >= 5000 and has_has license == true and
has_criminal_record == False:

        print("Usted es elegible para solicitar un préstamo")

elif has_criminal_record:

        print("No eres elegible para un préstamo")
```

elif income < 5000:

    print("No es elegible en este momento")

else:

    print("Por favor, tenga paciencia, ya que uno de nuestros especialistas se pondrá en contacto")

Salida:

¡Tu puerta a la comprobación de elegibilidad para el auto-préstamo!

Por favor, proporcione información completa para obtener los mejores resultados

Por favor, introduzca su nombre completo: Elliot Charington

Introduzca su edad: 41

Por favor, introduzca sus ingresos mensuales: 6900

¿Trabaja a tiempo completo, a tiempo parcial o como autónomo?: A tiempo completo.

¿Tiene una licencia válida? Sí.

En los últimos 5 años, ¿tiene antecedentes penales? No.

Usted es elegible para solicitar un préstamo

P-3: Como proyecto escolar, se le pidió a cada estudiante que ideara un programa que no superara las 10 líneas y que fuera capaz de hacer algunas matemáticas básicas para producir respuestas. El estudiante ideó un programa simple que pide al usuario que teclee un número y le hará saber si el número es par o impar. El programa es como se muestra a continuación:

print("el número es par o impar!")

num = input("Introducir un número: ")

```
if (num % 2) = 0:

        print("{0} es par")

else:

        print("{0} es impar")
```

¿Crees que el programa funcionará? ¿Qué errores cree que, si los hay, causarán problemas al estudiante?

Respuesta: Este programa tiene algunos problemas. En primer lugar, note que las declaraciones impresas no están formateadas. En segundo lugar, el conjunto de condiciones no está usando el operador de comparación correcto. En lugar de '=' necesitamos usar el operador '==' para proporcionar a la condición un punto de comparación.

Además, la entrada se almacenará inicialmente como una cadena. Asegúrate de usar el convertidor de *int*. Por último, reemplace el '0' en las declaraciones impresas por la variable 'num' y eso debería bastar. Si ejecutas el programa ahora, debería ser completamente funcional y debería devolver los resultados correctos.

```
print("el número es par o impar!")

num = int(input("Introducir un número: "))

if (num % 2) == 0:

        print(f"{num} es par ")

else:

        print(f"{num} es impar")
```

Q-4: Como proyecto paralelo, un programador decidió crear un programa simple que permite a los usuarios saber si el año, mencionado por el usuario, es un año bisiesto o no. El año bisiesto se calcula determinando si el año es exactamente divisible por el número "4" y en el caso de un año de siglo, como el año 2000, debe ser exactamente divisible por 400.

Usando el concepto anterior, el programador escribió este código:

```
print("Mi brillante calculadora de año bisiesto")
año = int(input("Por favor, introduzca el año: "))
if (año / 4) == 0:
    if (año / 100) == 0:
        if (año / 400) == 0:
            print(f"{año} es un año bisiesto)
        else:
            print(f"{año} no es un año bisiesto")
    else:
        print(f"{año} es un año bisiesto)
else:
    print(f"{año} no es un año bisiesto")
```

Cuando el código se ejecutó con el año 2020, la respuesta fue la siguiente:

¡Mi brillante calculadora de año bisiesto!

Por favor, introduzca el año: 2020

El 2020 no es un año bisiesto

Proceso terminado con el código de salida 0

¿Por qué crees que es eso?

Respuesta: Este implicaba un poco más de matemáticas que la programación real. Usando el operador "/", no habríamos recibido los valores exactos. En su lugar, tendremos que cambiar todos los operadores

208

"/" a "%" y ejecutar el programa de nuevo. Ahora, el año 2020 se mostrará como un año bisiesto, y cualquier otro año bisiesto se calculará correctamente también.

print("Mi brillante calculadora de año bisiesto")

año = int(input("Por favor, introduzca el año: "))

if (año % 4) == 0:

    if (año % 100) == 0:

        if (año % 400) == 0:

        print(f"{año} es un año bisiesto)

        else:

        print(f"{año} no es un año bisiesto")

    else:

        print(f"{año} es un año bisiesto)

else:

    print(f"{año} no es un año bisiesto")

Salida:

¡Mi brillante calculadora de año bisiesto!

Por favor, introduzca el año: 2020

El 2020 es un año bisiesto

Proyecto - 1 Solución

(Ejercicio 118: Stephenson, B. (2014) The Python Workbook)

Como prometí, así es como he creado un simple juego de "Piedra, Papel,

Tijera" usando Python.

```python
from random import randint
t = ["Piedra", "Papel", "Tijeras"]
computadora = t[randint(0, 2)]
intentos = 0
jugador = " " " "
while intenta <= 9:
        jugador = input("Piedra, papel, tijeras?")
        intenta += 1
        if jugador == computadora:
         print("Empate!")
        elif jugador == "piedra":
         if computadora == "Papel":
         print("¡Perdiste!", computadora, "cubrió a", jugador)
         else:
         print("Ganaste!", jugador, "aplastó a", computadora)
        elif jugador == "Papel":
         if computadora == "Tijeras":
         print("¡perdiste!", computadora, "cortó a", jugador)
         else:
```

```
print("Ganaste!", jugador, "cubrió a", computadora)

elif jugador == "Tijeras":

if computadora == "piedra":

print("Perdiste.", computadora, "aplastó a", jugador)

else:

print("Ganaste", jugador, "cortó a", computadora)

else:

print("Esa no es jugada válida. ¡Comprueba tu ortografía!")

computadora = t[randint(0, 2)]
```

Puedes copiar esto y probarlo tú mismo. Cambia los valores donde sea posible para ver cómo afecta al programa. Esta es una forma estupenda de pasar un tiempo de calidad con un juego mientras se aprende la dinámica también.

Capítulo 3 Soluciones

Tarea 1: Se le ha pedido a un programador que cree un programa simple en el que debe trazar los dígitos del cero al nueve en palabras. El programa le pedirá a un usuario que introduzca su número, y el programa imprimirá el mismo en un texto en su lugar. El resultado deseado es el que se muestra a continuación:

Por favor, introduzca su número: **415602397**

Salida: **Cuatro Uno Cinco Seis Cero Dos Tres Nueve Siete**

¿Cómo crees que se puede lograr esto? ¿Necesitaríamos usar un bucle aquí o un conjunto de declaraciones condicionales?

Respuesta: Para lograr este simple objetivo, usaremos un diccionario para crear pares clave-valor. Aquí está la solución, y honestamente vale la pena intentarlo.

number = entrada ("Número de teléfono: ")

words = {

> *"1": "Uno",*
>
> *"2": "2",*
>
> *"3": "Tres",*
>
> *"4": "Cuatro",*
>
> *"5": "Cinco",*
>
> *"6": "Seis",*
>
> *"7": "Siete",*
>
> *"8": "Ocho",*
>
> *"9": "Nueve",*
>
> *"0": "Cero"*

}

salida = ""

from char in number:

> *output += words.get(char) + " " "*

print(output)

Esto debería ahora imprimir palabras en lugar de números.

Tarea 2: Un estudiante llevó a cabo un programa que calculó el coste de envío de un minorista online para el cliente. El programa basaría el coste

de envío en el total del carrito y el país de residencia del cliente en cuestión.

¿Qué crees que hizo el estudiante?

Respuestas: Remítase al cuadro original de la pregunta para fines de referencia. Una versión exitosa del programa sería como se muestra aquí:

```
total = int(input("Por favor, introduzca la cantidad total: "))

pais = input("País [USA/AU/CA/UK]: ")

if pais.upper() == "USA":

        if total <= 99 and not <= 49:

         print("El costo de envío es de $10")

        elif total >= 100 and not total >= 250:

         print("El costo de envío es de $25")

        elif total >= 250:

         print("Gastos de envío $50")

        else:

         print("FREE")

if pais.upper() == "AU":

        if  total <= 99 and not total <= 49:

         print("El costo de envío es de $20")

        elif total >= 100 and not total >= 250:

         print("El costo de envío es de $50")

        elif total >= 250:
```

```python
    print("Gastos de envío $100")

else:

    print("El costo de envío es de $10")

if pais.upper() == "CA":

        if  total <= 99 and not total <= 49:

        print("El costo de envío es de 15 dólares")

        elif total >= 100 y no total >= 250:

        print("El costo de envío es de $30")

        elif total >= 250:

        print("Gastos de envío $75")

        else:

        print("El costo de envío es de $5")

if pais.upper() == "UK":

        if total <= 99 and not total <= 49:

        print("El costo de envío es de $25")

        elif total >= 100 y no total >= 250:

        print("El costo de envío es de $55")

        elif total >= 250:

        print("Gastos de envío $110")

        else:

        print("El costo de envío es de $20")
```

La salida le proporcionaría las respuestas correctas de acuerdo con la entrada.

Tarea 3: Eres un programador al que se le ha encomendado la tarea de crear un juego simple pero inteligente que almacena un nombre que los usuarios tendrán que adivinar. Al proporcionar el nombre equivocado, el programa proporcionará pistas. Usted ha creado el siguiente programa, sin embargo, parece que hay algo mal aquí.

```
name= 'James'.

guess = input("Tengo un nombre. ¿Puedes intentar adivinarlo?: ")

guess_num = 0

max_guess = 5

while guess != name and guess_num == max_guess:

        print(f"Me temo que no es del todo correcto! Pista: letra
{guess_num +1} ")

        print(guess_num + 1, "es", name[guess_num] + ". ")

        guess = input("Inténtalo de nuevo: ")

        guess_num = guess_num + 1

if guess_num == max_guess and guess != guess:

 print("¡Ay! Fallaste. El nombre era", nombre + ".")

else:

        print("Bien, lo conseguiste en", guess_num + 1, "intentos!")
```

Respuesta: Lo creas o no, sólo hubo un pequeño error. El programa funcionaba, pero el problema era que aceptaba incluso una entrada incorrecta como correcta. Si prestas mucha atención a la condición 'while', notarás que guess_num == max_guess nunca se cumple, por lo que este bloque de código nunca se ejecuta. Cuando eso ocurre, no hay nada que añadir al número de suposiciones. El programa entonces se movería a la sentencia 'if', y por lo tanto elegiría la parte 'else' como salida. Para corregir esto, todo lo que necesitaba hacer era reemplazar la condición "while" a esto:

While guess != name and guess_num != max_guess:

Ahora, el programa debería funcionar correctamente y convertirlo en un pequeño juego interactivo.

Preguntas y respuestas

Q-1: ¿Qué hace el operador ==?

    A. Asigna un valor
    B. Recuerda y coincide con el valor de las variables antes y después de él...
    C. Le permite a Python saber que no debe equiparar las variables
    D. Ninguno de los anteriores

Q-2: ¿Qué pasa con el código de abajo?

x = 20

y = 30

z = 40

if x > y:

print("Algo está mal aquí")

    A. Ya que x es menor que y, el programa se bloqueará y devolverá un error
    B. z no se llama, por lo que el programa no funcionará
    C. La condición no va seguida de una indentación
    D. No hay nada malo en el programa

P-3: ¿Cuál será el resultado del siguiente programa?

alfa = 'Bravo'

```
Bravo = 'Charlie'.

Charlie = 'Alfa'.

for char in alfa:

        if char != 'a':

        print(char)
```

A. Bravo
B. Charlie
C. Alfa
D. **Ninguna de las anteriores. El resultado sería "B r a v o".**

Q-4: ¿Cuál es la diferencia entre 100/30 y 100/30?

A. Es sólo un error de mecanografía
B. Ambos darán los mismos resultados
C. **La / mostrará una figura flotante mientras que la // mostrará un resto entero**
D. La / mostrará un resto entero mientras que la // un resto flotante

P-5: ¿Qué imprimirá el código que se muestra a continuación como resultado si un coche está viajando a 75 millas por hora?

```
car_speed = int(input("Enter Car's current speed: "))

acceleration = 20 #per second

top_speed = 100

time = 0 #en seconds

if car_speed == 0:

        time = top_speed // acceleration

        print(f"Debería tomar {time} segundo(s) para que el auto alcance su
velocidad máxima")
```

#Para un vehículo estacionario

else:

    time = (top_speed - car_speed) // aceleración

    print(f"tomaría {time} segundo(s) para alcanzar la velocidad
máxima.

    #Para un vehículo en movimiento

- A. 5 segundo(s)
- B. 3 segundo(s)
- **C. 1 segundo(s) - Estamos usando el operador //, que siempre devolverá un valor entero**
- D. El programa devolverá un error

Q-6: ¿Cuándo deberías usar un bucle "for"?

- A. Cuando necesitamos una salida específica
- **B. Cuando necesitamos iterar sobre un rango de elementos**
- C. Cuando deseamos establecer una cierta condición para que sea verdadera o falsa
- D. Ninguno de los anteriores

P-7: ¿Qué indica el siguiente error?

Traceback (la última llamada más reciente):

Archivo "C:/Usuarios/Programador/PycharmProjects/PFB/PFB-2/Project-2.py", línea 1, en <módulo>

    car_speed = int(input("Enter Car's current speed: "))

ValueError: invalid literal for int() with base 10: "abc

Process finished with exit code 1

- **A. El programa se estrelló debido a una entrada de valor inválida**
- B. El programa se estrelló porque 'abc' no fue introducido como una cadena

218

C. Usó comillas simples en lugar de comillas dobles

D. Ninguno de los anteriores

Q-8: El siguiente programa utiliza el módulo log10 del paquete 'matemático'. El programa fue diseñado para llevar a cabo algunas operaciones aritméticas para probar los valores y la funcionalidad del programa. ¿Qué parece estar mal aquí?

from math import log10

a = input("ingresa el primer valor: ")

b = input("ingresa el segundo valor: ")

print(a, "+", b, "es", a + b)

print(a, "-", b, "es", a - b)

print(a, "*", b, "es", a * b)

print(a, "/", b, "es", a / b)

print(a, "%", b, "es", a % b)

print(f"El logaritmo de la base 10 de {a} es {log10(a)}")

print(a, "^", b, "es", a**b)

A. Las cadenas no están formateadas correctamente

B. Los valores de entrada se almacenan como cadenas en lugar de enteros

C. La función log10 no funcionará dentro de una cadena formateada

D. Todo lo anterior

Q-9: ¿Qué hace una declaración "elif" que "else" no puede hacer?

A. Las condiciones Elif son condiciones secundarias que se ejecutan cuando la condición principal es falsa.

B. Las declaraciones de Elif no requieren condiciones, mientras que las demás declaraciones sí.

C. Las declaraciones de Elif son exactamente iguales a las demás declaraciones.

D. Ninguna de las anteriores.

P-10: ¿Qué produce lo siguiente como resultado?

def high_number(numbers):

  max = numbers[0]

  for number in numbers:

  if number < max:

  max = number

  return max.

list = [21, 200, 31, 1, 39]

print(high_number(list))

  A. 39
  B. 5
  C. 200
  D. 1 - Si eligió 200 porque nombré la función high_number, se perdió el hecho de que utilicé un operador < en lugar de >, por lo que el resultado sería siempre el número más pequeño de la lista.

Q-11: Es necesario usar las declaraciones "if" cada vez que se usan los bucles. ¿Esta declaración es verdadera o falsa?

Respuesta: Falso - Ha habido muchos casos en los que no hemos usado declaraciones "if" cuando hemos usado un bucle.

¿Esto es correcto? - Parte 3 Soluciones

Q-1: Un programador decidió crear un programa simple, sólo para practicar las condiciones básicas de "si" y "si no". Escribió el siguiente programa:

name = "John"

age = 33

is_married = True

is_happy = input("¿Estás contento?: ")

if is_happy.lower() == "si":

    print("¡Bien hecho!")

else:

      print('Siento oír eso')

Aunque el programa funciona bien, hay algo que está mal. ¿Puedes averiguar qué es? Deberías ser capaz de eliminarlo y el programa seguirá funcionando correctamente.

Respuesta: La condición de casado no se necesita ni se utiliza en ningún lugar. Esto sólo hace que el programa sea un poco más confuso. Lo mejor es eliminar cualquier cosa del programa que no se vaya a usar nunca. El programa debería ser capaz de funcionar correctamente.

P-2: Un estudiante definió una función como se muestra a continuación:

def kms_to_miles(distance):

    *distance * 0.621*

Al tratar de usarlo, el programa devolvió un valor de "None" como resultado. ¿Por qué crees que eso sucedió?

    A. El estudiante no debe haber pasado el parámetro apropiado.
    B. La distancia utilizada habría sido en millas, de ahí el error.
    C. El estudiante olvidó usar "return" antes del cálculo mientras definía la función.
    D. No tengo ni idea de por qué ha fallado esto. Debería haber funcionado.

P-3: ¿Cree que el siguiente programa debería funcionar? Si no, ¿por qué?

```
prices = [5, 10, 15, 20, 25]

total = 0

for item in prices:

    total += item

print(f"Su precio total es: ${total}")
```

Respuesta: El programa está realmente libre de errores. Este programa debería funcionar bien por sí solo.

Q-4: En nuestro libro anterior, pasamos por un programa de ejemplo como se muestra:

```
for a in range(3):

  for b in range(3):

    for c in range(3):

      print(f"({a}, {b}, {c}")
```

Si cambiara los valores de los rangos de arriba a abajo a 3, 2, 1, respectivamente, ¿funcionaría el programa? ¿Cuál sería el resultado?

Respuesta: El programa debe seguir funcionando y el resultado será el siguiente:

(0, 0, 0)

(0, 1, 0)

(1, 0, 0)

(1, 1, 0)

(2, 0, 0)

(2, 1, 0)

Q-5: Según un estudiante, la indentación es innecesaria y no debería causar ningún problema al ejecutar un programa. El otro estudiante es de la idea de que Python presta atención a los espacios en blanco y por lo tanto la indentación es muy importante para mantener el código y organizarlo en consecuencia. ¿Cuál de los dos cree que es el correcto?

Respuesta: Esta última tiene la respuesta correcta ya que Python presta mucha atención a los espacios en blanco. Esto es exactamente por qué Python no funcionará si se olvida de usar una hendidura donde sea necesario.

Q-6: Mira el fragmento de código de abajo. Fue tomado de un programa que fue diseñado para iterar sobre los pares de teclas de un diccionario.

salida = ""

for char in number:

> *output += word.get(char) + " " "*

print(output)

¿Qué hace el operador += aquí?

Respuesta: Aunque el programa escrito arriba no funcionará, debido a múltiples problemas, la verdadera pregunta es qué haría el operador +=. Este operador añade como un incremento el valor de words.get(char) a la salida en cada bucle.

Q-7: Un adolescente quiso imprimir un simple diseño en pitón como resultado. El diseño que se muestra a continuación fue el resultado:

*

**

***

****

*****

```
******
*******
********
*********
**********
```

¡Yo lo hice!

```
**********
*********
********
*******
******
*****
****
***
**
*
```

¿Crees que esto se puede hacer usando bucles? Si es así, ¿puedes codificar el programa?

Respuesta: Hay dos maneras de llevar a cabo este programa. La primera involucra muchas líneas, cada una usando una declaración impresa. Eso es demasiado básico y simplemente lo ignoraremos. La segunda implica el uso de bucles, y ahí es donde las cosas se ponen interesantes. Así es como se puede lograr esto:

```
character = '*'

for char in range(0, 11):

    salida = character * char

    print(output)

print("¡He hecho esto!")

for char in range(10, 0, -1):

    salida = character * char

    print(output)
```

Primero ha informado a Python para que itere por el rango en orden ascendente. En el segundo bucle, has usado un paso de -1 al final e invertido el orden del rango. Ahora, comenzará desde 10 y terminará en el último número del rango.

Capítulo 4 Soluciones

Q-1: Calculadora de tarifas de taxi

Esto fue en realidad un poco difícil. Había bastantes componentes que necesitaban ser reajustados unas cuantas veces antes de llegar a la fase final. Aquí está mi función definida para llevar a cabo los cálculos de la tarifa del taxi.

```
def calculate_fare():

    distance = flotar(input("Introducir la distancia en kms: "))

    distance = distance * 1000 #Convertir kms en metros

    fare = 3.0 + ((distance / 100) * 0.1) # tarifa extra cobrada cada 100 metros

    return fare
```

print(f"Su tarifa total de taxi es de ${calcular_pago()}")

Recuerde, necesitará usar un valor de flotación para obtener las respuestas correctas.

Q-2: Barajador de cartas

Esta fue difícil. Estoy seguro de que tuviste que investigar un poco, y si lo hiciste, está perfectamente bien. No esperaba que lo hicieras bien inmediatamente. El uso de las funciones a veces puede ser difícil, especialmente si implica bastantes elementos. Así es como se hace:

from random import randrange

def createDeck():

    card= []

    for suit in ["s", "h", "d", "c"]:

        for value in ["2", "3", "4", "5", "6", "7", "8", "9", "T", "J", "Q", "K", "A"]:

        cards.append(valor + palo)

    return cards

def shuffle(cards):

    for i in range(0, len(cards)):

    other_pos = randrange(0, len(cards))

    temp = cards[i]

    cards[i] = cards[other_pos]

    cards[other_pos] = temp

def main():

```
        cards = createDeck()

        print("Esta es la baraja original: ")

        print(cards)

        print()

        print(cards)

        print("Esta es la versión barajada: ")

    print(cards)

main()
```

Ahora, el resultado debería mostrarte tanto las cartas originales como la versión barajada también.

Q-3: Generador de contraseñas aleatorias

Respuesta: La solución a esto es como se muestra a continuación. La mayor parte se explica por sí misma.

```
from random import randint

shortest.pass = 6

max_pass = 8

min_ASCII = 33

max_ASCII = 126

def randomPass():

        randomLength = randint(shortest_pass, max_pass)

        result = ""

        for i in range(randomLength):
```

```
        randomChar = chr(randint(min_ASCII, max_ASCII))

        result = result + randomChar

        return result

def main():

        print("Su contraseña generada al azar: ", randomPass())

main()
```

Le animo a que intente cambiar los valores según su gusto para cambiar el resultado y ver cómo el programa general se ve afectado.

¿Esto es correcto? - Parte 4 soluciones

Q-1: A continuación se muestra una función hecha por el usuario que está diseñada para iterar a través de un rango dado y buscar el número más alto. ¿Funcionará la función cuando se llame?

```
def high_number(numbers):

        max = numbers[0]

        for number in numbers:

        if  number < max:

         max = number

        return max

list = [21, 200, 31, 1, 39]

high_number(list)
```

Respuesta: Lo anterior es en realidad un código que ya ha visitado en este libro de trabajo. Actualmente, no imprimirá nada ya que no se utiliza ningún comando de impresión. Para imprimir el resultado, utilice la función de impresión y coloque la función con el parámetro dentro de los paréntesis de la función de impresión. Antes de ejecutar el código, asegúrese de cambiar el operador < a > para ver el número más alto de la lista.

P-2: ¿Cuál parece ser el problema con lo siguiente?

```
def this_function():

    print("hola desde esta funcion!")

this_function_with_args(nombre, saludo):

    print(f"Hola {name}, ¡Desde esta función!, te deseo {greeting}")

this_function()

this_function_with_args()
```

Respuesta: En el código anterior, la función "this_function_with_args()" no está definida ya que falta el elemento clave de 'def'. Sin ella, Python no podrá encontrar nada llamado this_function_with_args() y por lo tanto el programa no se ejecutará.

Una vez que esto se resuelva, tendrá que pasar dos argumentos para que esta función funcione correctamente. Aquí hay un ejemplo:

```
this_function_with_arg ("John", "Feliz Cumpleaños")
```

Ahora, la función funcionará según los requisitos.

Q-3: ¿Qué haría esta función?

```
def plus (a, b):

 sum = a + b

 (sum, a)

sum, a = plus(3,4)

print(sum)
```

Respuesta: Esta función no funcionará ya que no está definida adecuadamente y es honestamente un desastre. Recuerde, nuestro objetivo es escribir un código limpio para que todos puedan entender lo que está pasando. Aquí está la solución para hacer que esta función funcione correctamente:

def plus(a, b):

> *return a + b*

sum = plus(3, 4)

print(sum)

Ahora, esta función calculará los dos números que se pasan como argumentos.

Q-4: ¿Puede colocar un bucle dentro de una función como se muestra a continuación?

def plus(*args):

total = 0

for i in args:

> *total += i*

return total

print(plus(20,30,40,50))

Respuesta: Sí, la función debería funcionar perfectamente bien. Cuando se define una función, se pueden escribir cientos de líneas usando las condiciones "si" y "si no", así como los bucles "para" y "mientras". También puedes usar constructores, otras funciones predefinidas, métodos y valores para hacer la función más significativa. No hay limitación en cuanto a la cantidad de código que una función puede contener.

A dónde dirigirnos a continuación

El mundo es ahora tu patio de recreo digital. Tienes todo lo esencial que necesitas para empezar. Ya dominas lo básico y no deberías tener problemas para afrontar los grandes retos que te esperan.

Para aprovechar al máximo el viaje, utilice grandes recursos como udemy, coursera, YouTube y muchos otros nombres importantes que ofrecen oportunidades de aprendizaje más avanzadas. Hay innumerables libros por ahí que ofrecen la misma experiencia de aprendizaje con gran detalle. Asegúrate de no perderte la práctica de la programación, ya que cuanto más esperes, más perderás la pista de los conceptos que tanto te costó aprender.

Continúa haciendo grandes y simples programas para mantenerte en contacto con lo básico. Recuerda, cuanto más fuertes sean los fundamentos, más fácil será para ti avanzar.

Trabaja en varios proyectos que puedes encontrar en muchos sitios web y plataformas independientes. Para aquellos que deseen buscar una carrera, consideren la opción de trabajar en Inteligencia Artificial, Aprendizaje Profundo, Aprendizaje Automático y otros campos relacionados. Estos están avanzando cada día y requieren de más programadores talentosos como tú para salir y hacer la diferencia.

Conclusión

Estábamos emocionados cuando empezamos este libro de trabajo. Luego vinieron algunas tareas arduamente largas que rápidamente se convirtieron en pequeñas e irritantes tareas que nos fastidiaban como programadores y nos hacían pensar más de lo que normalmente lo haríamos. Hubo momentos en los que algunos de nosotros incluso quisimos dejar de lado la idea de ser programadores en primer lugar. Pero, todos y cada uno de los que llegamos a esta página, lo hicimos con éxito.

Hablando de éxito, sepa siempre que su verdadero éxito nunca se mide adecuadamente ni se realiza hasta que ha tenido algunos fracasos en el camino. Es una forma natural de aprender las cosas. Todo programador, experto o principiante, está obligado a cometer errores. La diferencia entre un buen programador y uno malo es que el primero aprendería y desarrollaría las habilidades, mientras que el segundo sólo recurriría a Google y localizaría una respuesta.

Si has elegido ser un programador Python exitoso, debes saber que se avecinan tiempos muy difíciles. La vida de un programador raramente es socialmente activa, a menos que tu círculo de amigos esté formado sólo por programadores. Al principio te costará administrar tu tiempo, pero una vez que le hayas cogido el tranquillo a las cosas, empezarás a rendir excepcionalmente bien. Todo comenzará entonces a alinearse y comenzarás a llevar un estilo de vida más relajado como programador y como ser humano.

Hasta que llegue ese momento, mantén tu espíritu en alto y siempre prepárate para enfrentarte a los fracasos y errores. No hay nada de lo que avergonzarse cuando se pasa por tales cosas. En cambio, mira hacia atrás y aprende de tus errores para asegurarte de que no se repitan en el futuro. Podrías ser capaz de hacer programas aún mejores o actualizar los que ya funcionan lo suficientemente bien.

Por último, permítanme decir que ha sido un placer guiarlos a través de estos dos libros y poder verlos convertirse de una persona que no tenía ni idea de Python a un programador que ahora puede codificar, entender y ejecutar los asuntos a voluntad. Felicidades. ¡Aquí hay un saludo digital para ti!

print("¡Bravo, mi amigo!")

Le deseo la mejor de las suertes para su futuro y espero que un día, mires hacia atrás en este libro y esta experiencia como un evento que cambió su vida y que le llevó a un éxito superior como programador profesional. Mantente atento a las actualizaciones y asegúrate de visitar los foros y otras comunidades de Python para obtener la mejor experiencia de aprendizaje y conocimiento para servirte aún mejor cuando entres en las partes más avanzadas de Python.

Referencias

Briggs, J, R. (2013): Python para niños. San Francisco, CA: No Starch Press

Matthes, E. (2016): Curso intensivo de python. San Francisco, CA: No Starch Press

Payne, B. (2015): Enseñe a sus hijos a codificar. No Starch Press

Programiz. (n.d.). Programa Python para comprobar el año bisiesto. Obtenido el 10 de diciembre de 2019, desde https://www.programiz.com/python-programming/examples/leap-year.

Stephenson, B. (2014): El libro de trabajo de Python. Springer International Publishing

Made in United States
Orlando, FL
21 September 2024

51764603R00134